D0587750

MAMAN, LA DAME FAIT RIEN QU'À ME FAIRE DES CHOSES !

Roman primordial
par
SAN-ANTONIO

DU MÊME AUTEUR

A compter de 2003, les San-Antonio seront numérotés par ordre chronologique d'écriture de Frédéric Dard, qui est aussi l'ordre originel des parutions.

Cette décision entraîne un changement de numérotation des S-A n° 1 à 107. Par contre, la numérotation des S-A n° 108 à 175 reste inchangée. (Voir à la fin de ce volume le tableau de correspondance entre l'ancienne numérotation et celle indiquée ci-dessous.)

Hors série :

Œuvres complètes :

Vingt-neuf tomes parus.

Morceaux choisis :

Mes délirades

SAN-ANTONIO

MAMAN, LA DAME FAIT RIEN QU'À ME FAIRE DES CHOSES !

ou

« LA VIE D'UN BORDEL
SOUS LA Vᵉ RÉPUBLIQUE »

Fleuve Noir

A Pierre, Paul, Jacques,
à Untel,
à qui tu sais,
à n'importe quel prix,
à prendre ou à laisser,
à la paille et à la dame de fer,
à se taper le cul par terre,
et surtout, oui surtout, à
Couilles rabattues à qui je dois
la vie et bien d'autres choses
encore plus désagréables.

San-A.

Et puis à Françoise
et à Patrice, bien sûr.

J'ai toujours été heureux par contu-
mace.

*

La sodomie, c'est l'art de rebrous-
ser chemin.

*

Si j'étais riche, je ne ferais que ça.

*

Les gens que tu couches sur ton
testament ne dorment que d'un œil.

*

Si tu laisses le temps au temps, il te
baise.

*

Comment font les cons pour vivre en bonne intelligence ?

*

Je n'ai pas de prochain.
Mes moyens ne me le permettent pas.

*

Les gens heureux n'ont pas d'histoire ; c'est pourquoi ils en font à tout propos.

*

J'ai tort de m'alarmer.

Mallarmé

Ils entrent dans la chambre.

Mme Mina va tirer les rideaux. Elle se retourne et dit, non sans une sorte de noblesse étudiée :

— Ma meilleure chambre !

Son Excellence jette un regard blasé au décor. Elle est venue se faire dégorger le Nestor et c'est pas deux fauteuils crapauds, un lit à baldaquin et une reproduction du siège de La Rochelle par Richelieu qui vont la distraire de sa bandaison prématurée.

Indifférente, elle murmure, l'Excellence :

— Parfait.

La personne qui l'accompagne est une Marilyn Monroe de magnitude 4 sur l'échelle de Richter ; tu la situes shampouineuse ou vendeuse dans un magasin de chaussures excentré. Elle possède un beau cul vulgaire et des jambes à mollets de sportive occasionnelle. Regard de salope, sourire évasif de donzelle qui pense peu. Son Excellence pressent un bon coup. Pas de l'exceptionnel, mais du performant.

Mme Mina est très honorée par la clientèle de Son Excellence. Chaque fois qu'elle vient à Paris, elle déboule chez elle, flanquée d'une gonzesse recrutée Dieu sait où.

Avant de sortir, elle dit :

— J'ai fait préparer votre champagne habituel : du Rougon-Macquart millésimé.

Un battement de paupières la récompense de cette attention. Effectivement, la boutanche prend son bain de siège dans un seau embué. Elle est en verre opaque qui conserve le divin breuvage à l'abri de la lumière.

Mme Mina emporte ses quatre-vingts kilogrammes et referme doucettement la lourde. Son Excellence, qui tient à l'intimité, assure le verrou de laiton. En homme de religion, il passe d'abord par la salle de bains pour des ablutions aussi rituelles qu'hygiéniques. Puis il revient un moment après, la queue sortie de son pantalon afin de montrer à sa partenaire que son pénis ne reste pas indifférent à l'ambiance capiteuse de la chambre. La fille découvre alors un sexe de bonne tenue, légèrement arqué et coiffé d'un casque de couleur rose saumon qui ne laisse pas d'être appétissant. Elle a un rire d'agréable découverte.

— Elle est belle, complimente-t-elle.

L'Excellence qui sait, de toute éternité, qu'elle possède un beau chibre ne marque aucune réaction. Par contre, elle glisse sa main manucurée sous la jupe de la donzelle qui, heureuse surprise, porte des bas au lieu d'un collant. Sa moulasse est dûment renflée sous la peau du slip. Tout laisse présager une partie de cul tout à fait convenable.

La dame s'appelle Léontine, mais elle a substitué à ce prénom désuet celui, plus performant, de Lara.

Elle guette le bon plaisir de l'Excellence, attentive à ses caprices. Un homme fortuné et qui se paie un chibre d'aussi belle facture a droit à tous les égards.

— Savez-vous faire l'arbre fourchu ? s'enquiert le diplomate.

Lara sait, mais s'étonne :

— Oui, pourquoi ?

— Faites-le ! enjoint son compagnon, économe de ses mots.

Alors, bon, la voilà qui se couche sur le tapis, soulève son buste et ses jambes qu'elle tient écartées. Elle soutient cette difficile position de ses deux bras. Sa jupe s'est retroussée, les jarretelles brodées de tendres fleurettes roses et vertes tranchent sur sa peau légèrement ambrée.

Son Excellence s'incline pour mordiller les poils pubiens de la fausse Lara à travers l'étoffe du slip. Elle se décide à arracher ce dernier afin de se trouver en prise directe avec une chatte agréable, parfaitement modelée et juteuse à souhait.

— Vous fatiguez ? s'inquiète-t-elle.

— Pas du tout, ment la partenaire, soucieuse d'assumer les moindres caprices de son preux chevalier.

— Alors ne bougez pas !

Le diplomate sort la bouteille du seau, lui sèche le cul avec le linge blanc qui lui servait d'étole et entreprend de la déboucher.

Les forniqueurs de sa trempe peuvent en remontrer aux serveurs les plus avertis. Ses gestes sont précis et, pour tout dire, professionnels. Le bouchon est arraché, mais sans produire d'explosion. Une espèce de vague pet foireux retentit, et c'est tout. Une fumée sort du goulot, plus abondante qu'il n'est d'usage.

Le sommelier d'occasion l'évente de la main, sans grand résultat. Cette fumée divine, annonciatrice du merveilleux breuvage, se fait de plus en plus épaisse.

— Ah ! ça…, profère Son Excellence, déconcertée.

Ce seront ses dernières paroles. Une intense suffocation s'empare d'elle. Elle paierait quelques litres d'oxygène n'importe quel prix. Ouvre grand, tout grand, sa gueule enfarinée. Se comprime la poitrine pour en exprimer des reliquats de gaz carbonique. Mais zob !

Pendant ce temps, la môme Lara continue de faire l'arbre fourchu, la babasse écartée comme une gibecière d'ouverture de chasse.

Bientôt, le gaz emmagasiné dans la bouteille parvient jusqu'à ses orifices antérieurs. Elle désarbre illico et te vous meurt comme une malpropre, gueule et cuisses ouvertes.

En un rien de temps, elle a la physionomie d'un congre à l'étal du poissonnier : le regard rond et vitreux, la bouche béante sur un mystérieux silence.

Dans la pièce contiguë, un habitué qui se fait bricoler la tige par une personne compétente, pousse un gros soupir de contribuable qui va au fade et croit défunter de plaisir.

Mais pour lui, il s'agit seulement d'une impression fugitive.

FICHTRE

Il faudrait pouvoir mourir de temps en temps, histoire de se refaire une santé, un moral. Je crois que ça nous reposerait de toujours courir après notre queue. Ma grand-mère avait un chien qui s'appelait Pillon (ça devait issure de Papillon, je suppose ?) ; ce clébard, tu le chopais par la queue et tu lui imprimais un mouvement giratoire. Quand tu le lâchais, il continuait de tourner à fond de train jusqu'à ce que le vertige l'oblige à s'arrêter.

Par moments, il me semble que je suis Pillon et que je cours après ma bite. Illusion ! En fait elle finit chaque fois dans la bouche ou le dargif d'une pécore. Qu'ensuite tu tangues comme un perdu avant de récupérer un semblant d'équilibre. Vachement chiant, d'à force ! C'est pour ça que je voudrais m'anéantir un peu, histoire de prendre de vraies vacances. L'écureuil dans sa cage tournante, tu sais à quoi il pense ? Je vais te le dire : il pense qu'à force de tourner il finira par en sortir, le con ! Nous autres, à faire girer notre existence, on espère quelque chose qui ne vient jamais. On baise et on croit en Dieu pour passer le temps. Seulement notre énergie décroît doucement. On continue d'exténuer dans le cylindre de l'existence. Et ça ne fournit même pas d'électricité !

Des jours que je ressasse mes idées noires. Marasme pour cause d'inoccupation !

Au début de ma mise en réserve[1] de la Police, j'ai pris du bon temps. Pour commencer, dix jours de vacances à Baumanière, avec maman. Une féerie, grâce à l'Oustao, au pied des Baux. Lecture au bord de la piscaille. Tortore de légende. Le gigot d'agneau en croûte. Là-bas, on ne bouffe pas : on déguste. Si tu ne connais pas, vas-y ; ou alors meurs con, ça te regarde.

Et puis on est rentrés, Félicie ayant invité une cousine à elle, plus ou moins germaine, qui fait nonne-garde-malades dans un hosto de province.

Elle sentait bien que j'en avais rien à frémir de la sœur Augusta. Je la connais un peu : elle a de la barbe au menton et un chapelet pectoral dont le crucifix trempe toujours dans son assiette. Sans

---

1. Lire : *Mesdames vous aimez « ça »*. Un chef-d'œuvre de la littérature contemporaine, selon Jérôme Garcin.

cesse à te fourguer un *Notre Père* et un *Je vous
salue Marie* au détour de la converse. Ça se
déclenche comme une pendule-coucou. Elle
décide brusquement qu'il faut, toutes affaires
cessantes, virguler une petite prière au Seigneur.
En pleine blanquette de veau (de dévôt, devrait-
on dire) ça la prend !

Chaque fois une bonne raison l'incite ; le salut
de notre âme, bien sûr, mais aussi : les guerres
d'ici et là, la proliférance du sida, la misère des
pays sous-développés, la santé du Saint-Père. Ça,
ce sont ce que j'appellerais les causes d'intérêt
général. D'en plus, elle a les siennes propres auxquelles elle nous associe. Tu te retrouves à implorer Dieu pour un certain Gaston Torgnole ou une
dame Mathilde Blancbeurre que t'as jamais
entendu causer. Des gens improbables, qui ne
font que passer sur ta vie comme un avion d'été,
haut dans le ciel. T'es là, ta fourchette à escar-
guinches en main, à « impleurer » la divine bonté
pour ces melons inconnus qui peuplent la vie édifiante de sœur Augusta.

Donc, et si je puis ainsi dire, m'man m'a fait
grâce du séjour de la sœur chez nous. N'ayant rien
de mieux à branler, j'ai lancé un coup de grelot à
Linda, une récente acquisition de mon paf, qui
marne à la réceptionnerie d'un grand hôtel parisien. Ce qui me plaît chez elle, en dehors de son
cul, c'est qu'elle est la seule gonzesse de ma

connaissance à raffoler de Céline. Hormis Linda, les gerces tordent le nez sur ce géant sulfureux. Linda a, en permanence, une édition de poche de *Mort à crédit* dans son sac ; toujours prête à dégainer pour peu qu'on lui prête une oreille (ou un oreiller) complaisante.

Au plumard, sans montrer des dons exceptionnels, elle se comporte vaillamment. Te pompe sans enthousiasme excessif peut-être, mais avec détermination, voire loyauté, et se prête à des fantaisies que ni la pauvre reine Fabiola, ni la mère Tâtechair n'ont dû pratiquer beaucoup. Pour résumer, il s'agit d'une jeune femme (la trentaine) au visage et au cul avenants, d'une intelligence très convenable et dotée de manières conformes qui te permettent de l'emmener partout, et même ailleurs.

Je passe à l'hôtel *Venise et Budapest* où elle s'active. Elle est aux prises avec un grand con scandinave qui insiste pour obtenir une suite au prix d'une chambre ordinaire sous l'évasif prétexte qu'il est l'ami intime du cousin de la bicyclette à Jules, comme disait le bon Eugène.

Elle radieusit en m'apercevant. J'attends qu'elle ait donné insatisfaction à son buveur d'aquavit pour l'aborder.

Elle a la phrase sobre qui convient :

— Un revenant ! Je n'espérais plus te voir.

— Les revenants, comme leur nom l'indique,

sont faits pour revenir, ma chérie (elle est seule derrière son comptoir d'acajou). Je viens pour te faire une proposition.

— Honnête ?

— Si elle l'était, tu n'en aurais rien à foutre !

Et de lui raconter que, disposant de quelques jours de liberté, je suis prêt à les mettre à sa disposition. C'est gentil, non ?

Elle convient.

Moi, j'ai une particularité (presque un don) : à toute femme je trouve quelque chose de bandant, quand bien même il s'agit d'une tarderie en solde, ce qui n'est pas le cas de Linda. Chez certaines, c'est le cul, chez d'autres le sourire, le regard ou les nichebabes ; des fois un élément de la toilette. Je me rappelle une serveuse de restau à prix fixe, très Cosette, avec bec-de-lièvre ci-joint, dont la robe de service me faisait triquer : une sorte de satin infâme pas racontable. Sensible aux étoffes tel qu'*I am*, ce tissu me « portait aux sens », comme disent les bonnes gens. Je ne me lassais pas de lui flatter les meules, au détour d'une table. Elle en était sidérée qu'un aussi beau gosse (merci pour lui, je le lui répéterai) la paluche ouvertement, elle à qui on ne tirait même pas la bride de son tablier pour plaisanter (elle n'était pas « plaisantable »).

Cette réminiscence, histoire de t'éclairer sur

mes pulsions bitougnardes. Pas besoin de me faire psychanalyser : j'étale tout au grand jour.

Pour t'en reviendre, son élément bandant, Linda, c'était son cou. Bioutifoul comme la tige de certaines fleurs. Il exprimait la grâce et, je ne sais pourquoi, la volupté. Quand je la tirais, je le lui léchais, de la naissance de l'épaule à l'oreille, ce qui la faisait glousser. Je suis un baiseur à manies. Le merveilleux, dans le désir charnel, c'est qu'il revêt une foule de formes. Je pourrais pas baiser à la fantassin, la tronche dans le guidon, comme la plupart ; kif mon ami Branchat, jadis, qui calçait les putes, son chapeau à bord roulé sur la tête pour ne pas se départir. Chez moi, la lonche équivaut à jouer de l'orgue. Me faut plusieurs claviers et des tirettes à n'en plus finir...

Quand j'ai eu terminé de formuler ma propose, il lui est venu un mystérieux sourire. T'aurais dit l'infante d'Espagne sur la décalcomanie de Velazquez.

J'ai attendu ; elle a fini par dire :

— Tu crois aux harmonies préétablies, toi ?

Car elle a le phrasé un tantisoit élaboré, sauf quand elle se fait piquer et qu'elle te supplie des horreurs comme quoi elle la veut bien complètement, oui, oui, encore !

— Bien sûr, ai-je-t-il répondu prudemment.

Elle m'intriguait un peu, pas trop, juste pour dire.

Puis elle a balancé :

— Je suis en vacances à partir de demain !

En effet, c'était plaisant.

Et de poursuivre :

— J'avais promis à une amie de pension d'aller passer une semaine chez elle. Son mari est médecin du côté de Biarritz.

Ça m'a fait sourire. Je ne croyais plus que ça existait les amies de pension dont l'époux est toubib, sauf dans les romans de la collection « Je me touche ».

— Cet imparfait me laisse bien augurer de ta réponse, ai-je dit.

— Que me proposes-tu ?

— Du classique : un *Hôtel des Flots Bleus*, quelque part au bord de la Méditerranée.

— D'accord.

Pas contrariante, tu vois.

— Tu as une suggestion, quant à l'endroit ? me suis-je-t-il enquis poliment.

— Je m'en fiche. La seule chose…

— Eh bien ?

— J'aimerais que nous nous y rendions en voiture. Je ne t'ai encore jamais sucé à cent vingt à l'heure.

— Pourquoi cent vingt ? objecté-je. La vitesse est limitée à cent trente.

Nous sommes convenus de décambuter le surlendemain.

*
* *

Le Seigneur paraissait approuver notre escapade car un beau soleil de mars annonçait le printemps. Le cerisier de notre jardin commençait son frisson rose avant-coureur.

Lorsque je suis descendu pour prendre mon petit déje, je chantais le grand air de *Paillasse* dans l'escadrin. M'man est sortie, effarouchée, de sa cuistance, en me désignant le salon où Augusta y allait du *Notre Père* à s'en flanquer le vertigo. Elle se tenait agenouillée, face au mur, devant une reproduction de Miro qu'elle avait dû prendre pour une gravure pieuse interprétée par un petit Noirpiot des Missions Africaines.

Elle en débitait à toute vibure et je voyais remuer sa moustache grise dans le rayon d'or tombant de la fenêtre.

— Ça fait une heure qu'elle prie, m'a confié Féloche.

— Pourquoi ne fait-elle pas ça dans sa chambre ?

— Oh ! elle a prié beaucoup avant de descendre, seulement nous avons écouté les informations, ce qui a bouleversé ma pauvre Augusta.

Etrange Félicie, ironique et tendre, comprenant tout, pardonnant tout : les extravagances du mal comme celles du bien.

Pendant qu'elle me verse le café, elle pousse un cri :

— Seigneur, j'allais oublier ! On a téléphoné pour toi pendant que tu étais sous ta douche.

— Qui donc ?

— On m'a dit : « Ici l'intérieur », mais on n'a pas précisé de quel intérieur il s'agissait.

La chérie ! Je lui souris tendre.

— Alors ?

— On a demandé si tu étais chez toi. J'ai répondu que oui. On m'a prié de te dire que tu ne devais pas sortir avant d'avoir reçu une très importante communication. J'ai promis.

Cette dernière affirmation de Féloche me contrarie. Dans une heure, je dois passer prendre Linda, Porte Maillot ; je n'ai pas envie de la faire poireauter devant une bouche de métro.

Un silence. La pendule le rompt à peine de son tic-tac consciencieux. De temps en temps nous parviennent, comme un écho lointain, les pate-nôtres de cousine Augusta exhalées plus forte-ment dans l'emportement de la ferveur.

— Je te prépare une tartine, mon grand ?

— Pas faim.

— Alors grignote quelques « Petit Lu » ; c'est mauvais de sortir le ventre vide.

Amour de Félicie qui continue de me prendre pour un bambin fragile (car j'en fus un).

Pour la rassurer, j'attrape un biscuit. Que peut-on bien me vouloir à « l'Intérieur » ? Depuis des semaines que je suis sur la touche, « ils » ne doivent plus avoir grand-chose à me dire.

Là-dessus, la grêle sonnette du portail fait sa folle au bout de son col de cygne rouillé.

— Ce doit être l'épicier pour sa commande, déclare m'man en se dressant. Un de ces jours, la chaînette de la cloche lui restera dans la main !

Je continue de grignoter mon « Petit Lu » en procédant comme lorsque j'étais enfant, c'est-à-dire en croquant la dentelure qui le cerne. Ça me fait penser à mes jadis qui s'éloignent à tire-d'aile et larigot. Si on n'avait pas son passé à se mettre sous la mémoire, le présent aurait une drôle de gueule.

La bonne espagnole va ouvrir la porte. Félicie lui crie :

— Dites à ce monsieur que nous n'avons besoin de rien !

Mais l'ancillaire doit mal s'en sortir car l'entretien sur le paillasson se prolonge.

— Merde, dis-je dans le français le plus pur, on ne va pas se laisser casser les couilles à neuf heures du matin !

Cette connasse d'Ibérique réapparaît. A reculons. Fait deux pas en arrière, ce qui met son terlocuteur dans mon champ visuel.

Je m'étrangle avec mon biscuit en reconnaissant le ministre de l'Intérieur.

FOUTRE

Lui, il joue de la pesanteur comme d'autres de la légèreté. Il existe dans toute sa personne une sorte de massivité congénitale qui impressionne. Il a la paupière lourde sur des prunelles de chien de chasse fourbu. On constate, dès l'abord, chez cet homme, une défiance qui n'est pas définitivement acquise et qui peut se muer en bienveillance si son interlocuteur « fait ce qu'il faut » pour le rassurer. Bon type ou charognard, au choix. Ça dépend de toi, des yeux que tu plantes dans les siens. Si tu ne le conquiers pas dans les quatre secondes, tu t'en fais un ennemi potentiel pour l'éternité.

Eperdue, Féloche se dresse, dénoue son tablier comme une servante de théâtre renvoyée.

Elle balbutie :

— Je vous prie de nous excuser, monsieur le ministre.

L'arrivant enfonce son regard lourd dans notre

intimité comme il le ferait d'un coin de bois pour craquer une porte.

— Ne vous dérangez pas, madame, bougonne-t-il.

Il s'avance. Je me lève. *Shake hand* de boxeurs au milieu du ring.

— Passons au salon, monsieur le ministre.

— Pour quoi faire ? On est bien, ici : ça sent bon le café frais.

— En voulez-vous, monsieur le ministre ? bredouille m'man.

— Si vous ne me l'aviez pas proposé, je vous l'aurais demandé, répond le bulldog avec un sourire entendu.

— Asseyez-vous, je vous prie, monsieur le…

Il prend place, face à moi. Il renifle l'eau de Cologne de qualité ; s'est coupé légèrement sous l'oreille en se rasant et cela a mis un minuscule point rouge sur son col de limouille.

— Est-il besoin de vous dire, monsieur le ministre, que je ne m'attendais pas à votre visite ?

Léger haussement d'épaules, presque réprobateur, genre « voyons, avec moi il faut s'attendre à tout ».

Puis, son indéfinissable sourire se fiche dans un coin de sa bouche, plus sceptique que joyeux.

— Que devenez-vous, monsieur le directeur ?

— Un chômeur longue durée, monsieur le ministre.

Le rictus se fait jubilateur.

— Ça doit être inconfortable pour un homme comme vous ?

— Très ; aussi songé-je à quelque reconversion.

— Dans l'Industrie, le Commerce ? Les Lettres ?

— Je n'ai encore rien décidé ; il y a une certaine griserie à se sentir disponible.

— Encore faut-il que cela ne s'éternise pas trop.

— En effet, aussi me donné-je jusqu'à la fin du mois pour prendre une décision.

M'man lui sert une tasse de café.

— Du lait, monsieur le… ?

— Non, deux sucres. Il sent bon.

Flattée, elle déclare :

— Je le prends dans une épicerie de Neuilly spécialisée.

Puis m'man se dit qu'elle doit nous laisser seuls. Elle abandonne son poste de pilotage en fermant la porte derrière elle.

Etant d'une intelligence tellement au-dessus de la moyenne qu'elle me flanque le tournis, j'ai parfaitement pigé que si le ministre s'est donné la peine de venir chez moi, c'est parce qu'il a une propose « particulière » à me faire.

Dans ces cas-là, une seule attitude : attendre et voir, comme disent les Anglais, qui sont au genre humain, ce que les dinosaures furent au règne animal (en moins sympas).

Le ministre boit deux gorgées de caoua sans cesser de me contempler par-dessus la tasse. Ses prunelles lourdes contiennent davantage d'arrière-pensées qu'un bananier de régimes.

Comme il pige que je n'en casserai plus une avant qu'il déballe ses gracieuseries, il se décide :

— On joue cartes sur table, San-Antonio ?

— Comme toujours, monsieur le…

— Vous posez une sacrée colle à un ministre, mon vieux.

— Et pas seulement à un ministre, soupiré-je ; il y a un côté marginal en moi qui rend perplexes les gens qui m'approchent.

— Heureux de vous l'entendre dire. Jamais, depuis Vidocq, la Police française n'a eu pour la servir un garçon de votre trempe ; mais Seigneur, ce que vous êtes difficile à manœuvrer. Savez-vous pourquoi ?

— Les raisons sont trop nombreuses pour qu'on les énumère.

— Pas du tout, il n'y en a qu'une : vous êtes un artiste, mon cher, genre rarissime dans la Police.

— Peut-être, admets-je, troublé.

Il achève sa tasse de caoua et consulte sa montre.

— Vous êtes pressé ? je demande.

— Vous avez déjà rencontré un ministre de l'Intérieur qui ne le soit pas ? Ecoutez, mon vieux…

Un bip-bip logé quelque part dans son costar bleu-voyageur-de-commerce retentit. Il coule la main dans sa poche et lui ferme la gueule.

— J'ai déjà abordé avec vous le sujet qui me tient à cœur. Mais devant votre manque d'enthousiasme, ne l'ai pas développé.

— La création d'une police parallèle ? soupiré-je.

Il frappe la table du poing.

— Mais sacrédieu, c'est vous qui appelez mon projet de la sorte ! Votre tempérament de grand démocrate qui se fait tout de suite du cinéma et regimbe ! Merde, San-Antonio. Vous m'entendez ? Mer-de ! Me prenez-vous pour un fasciste ?

Je lui virgule un sourire désarmant.

— J'ai pour principe de redouter tout ce qui détient un pouvoir.

— Je me les mets au cul, vos principes, mon vieux !

— C'est bien ce qui me déroute, monsieur le ministre.

Un instant, je crains qu'il ne me balance sa tasse vide dans le portrait. De la vieille porcelaine de Limoges que m'man a reçue de sa grand-mère en cadeau de mariage.

Mais il se contient. Son visage courroucé

(c'est pile le terme qui convient) évoque une bombe dont la mèche aurait fait long feu.

Et puis un miracle s'opère : il sourit. Un bon sourire d'oncle indulgent qui va t'offrir la pute de tes rêves malgré que tu aies ramené un bulletin catastrophe du lycée.

— Ecoutez, mon vieux. Vous fermez deux minutes votre grande gueule et vous m'écoutez jusqu'au bout. Ça joue ?

— Je vous en prie.

— Bon. J'ai bien étudié le fonctionnement de votre carrière et me suis rendu à l'évidence : vous êtes une espèce d'anarchiste qui s'ignore ; un farfelu qui croit à la justice ; un battant qui n'emprunte que le chemin des écoliers ; un irrévérencieux qui, parfois, respecte plus ardemment que nul autre. Alors comprenez que je vous propose une police « sur mesure », San-Antonio. Je veux seulement réaliser votre rêve le plus secret : vous faire faire de la police à la carte.

« Rien de fascisant dans cela ; simplement vous avez une plus grande liberté de mouvement pour traiter "certains" cas délicats. Vous allez gagner en efficacité, en rapidité. Je ne vous mets pas sous les ordres de quelque nazi déguisé puisque c'est vous qui dirigerez cette petite brigade spéciale. Vous tout seul ! Un cas embarrassant se présente, je vous le confie et vous le traitez à votre guise. Auriez-vous peur de vos propres réactions ? Si le cas en question vous pose problème, vous le refusez, point à la ligne.

« Vous voyez bien que, dans ce monde de merdeux, nous sommes tous, du bas jusqu'au sommet de l'échelle, ligotés par des contraintes qui s'accentuent chaque jour davantage. Nous en arrivons au point que, si nous voulons conserver un minimum d'efficacité, nous devons agir en francs-tireurs. Bon Dieu ! c'est un comble de baisser les bras devant le crime. Non ? »

Je le considère pensivement.

— Quelque part, vous avez raison, mais le procédé n'est pas démocratique.

— Oh ! merde, il me fait trop chier ! éclate le ministre. Ce type a un pavé à la place du cerveau : il confond fascisme et efficacité. Au cours de sa carrière, il a fait davantage d'entourloupes à la loi que tout le Milieu marseillais, et le voilà qui me brandit le Code civil sous le nez comme un moine du Moyen Age brandissait son crucifix au nez des hérétiques ! Mais, sacré crâne de pioche, pour qui me prenez-vous, à la fin ? Pour Adolf Hitler ?

Il est incandescent, je te jure. Va prendre feu comme un camion d'essence renversé.

J'avance ma main sur son avant-bras.

Et sais-tu ce que je m'entends lui dire ?

— Calmez-vous, monsieur le ministre. J'accepte.

SACREBLEU

« Clinique LONG REPOS ».

C'est écrit en lettres blanches sur un bandeau de tôle, au-dessus du portail. Le panneau est en grande partie bouffé par la rouille. Au-delà de l'entrée, les plantes sauvages ont pris possession de la propriété ; il y a même des touffes d'orties qui montent à l'assaut des fenêtres du rez-de-chaussée…

Celles-ci sont ouvertes. Une voix qui fut de ténor, mais que le beaujolais a transformé en basse noble, interprète le *Chant des Matelassiers* (ce qui fait passer aux tympans du voisinage un mauvais cardeur !).

Quelqu'un qui s'approcherait apercevrait un gros mec en blouse blanche juché sur une échelle à double révolution. Un seau de peinture bleu espérance est accroché au dernier échelon. Le peintre-chanteur plante son pinceau dans le seau et se met à dégoupiller sa braguette. Il plonge dans le gouffre ainsi découvert et dégage un paf long de quarante centimètres qui ne va pas sans évoquer le tuyau d'une colonne à essence. La bête débusquée de son terrier possède une grosse tête écarlate coiffée d'un casque à l'allemande. Le peintre braque sa lance en direction de la fenêtre dont trois mètres le séparent et entreprend d'arroser la touffe d'orties mentionnée au début du présent chapitre. Il ne cesse pas de chanter son hymne à la vie :

Cardons, cardons, car nous sommes matelassiers

En toutes circonstances, un beau matelas sied…

De toute beauté. Victor Hugo, à Guernesey, n'a jamais fait mieux.

L'urineur-sur-échelle-à-double-révolution jouit d'une pression en comparaison de laquelle celle du jet d'eau de Genève ressemble à une miction de vieillard prostatique.

Comme, chez lui, les fonctions libératrices s'exercent à l'unisson, il célèbre la gloire de son pissat d'un pet de grand séisme dont les échos vibrent longuement dans la pièce vide.

Sur ces entrefesses, une petite dame un peu boulotte s'inscrit sous le jet dont le soleil gratifie la belle couleur ambrée. Elle porte une minijupe beigeâtre qui ne dissimule pas grand-chose de ses cuissots, une jaquette rouge vif sur un chemisier que ça représente des iris sur fond rose. Très charmant. Elle est blondassouse, coiffée court et frisottée du devant ; son regard est plus bleu que les fleurs du corsage et sa petite bouche ressemble au trou du cul d'une rosière en train de péter.

— Bonjour, mons…, commence l'arrivante.

Mais constatant le surdimensionnement de l'organe-compisseur-d'orties, elle se tait, bouleversée par tant de munificence.

— Mon p'tit chou, fait l'urineur, v'devrevriez vous mett' un peu d'côté, biscotte que quand la pression baissera, vous risquereriez d'faire arroseser vot' mise en plis.

Mais l'arrivante n'écoute pas. Elle est tellement abasourdie par le phénomène que son ouïe prête main-forte à sa vue et lui sert momentanément à regarder.

Le peintre décrit un arc de cercle pour épargner l'ondée de fin de miction à la visiteuse et remet en place le monument qui lui a servi à libérer sa vessie surmenée.

— Vous cherchez quoi t'est-ce, mon trésor ? s'informe-t-il.

— J'ai vu que la clinique venait de rouvrir, fait la visiteuse, et comme je cherche un docteur…

— Ben, y a moi, fait le peintre.

— Je vous croyais dans le bâtiment ? s'étonne la blondasseuse.

— Accessoirement, assure l'homme au sexe d'exposition internationale ; tout à fait accessoirellement, mon trognon. Qu'est-ce je puisse-t-il pour vous, darlinge ?

— C'est rapport à mon vieux beau-père paralysé qui n'a pas l'air bien du tout ; vous pourriez venir le voir, docteur ? J'habite à deux maisons de la clinique.

— On va y aller, ma biche ; alarmez-vous pas, déclare le peintre occasionnel en descendant de son échelle. Les vieux, vous savez, y z'ont d'la ressource. J'voye ma grand-mère Bérurier : on la croiliait foutue ; et puis on lu f'sait une tisane d'acacia et ça repartait pour un tour.

Il rejoint la dame sur le perron. La trouve seyante, bien à son goût. Son cul appelle la paluche du mec. Elle sent un parfum champêtre et donc le printemps.

— V's'êtes plaisante, lui déclare Béru ; z'avez tout pour deviendre une voisine agriable.

— Merci, docteur.

— C'est comment, déjà, vot' p'tit nom ?

— Marinette.

— On f'ra avec, mon trognon. Moive, c'est l'docteur Béru, espécialisse des maladies féminines de la femme.

Et ils arrivent, deux pavillons de meulière plus

loin, chez les Croupeton. C'est modeste, mais bien tenu, avec des efforts pour donner de la classe à ce logis banlieusard. Deux nains de Blanche-Neige encadrent le perron. Des vues de Pornic sur bois décorent le vestibule. Dans l'escadrin qui mène aux chambres, des banderilles de toréador. Au premier, une tapisserie exécutée au point de croix par Marinette Croupeton en personne et qui représente deux chiens de meute forçant un cerf. La classe !

La « voisine » ouvre une porte, celle qui donne sur la chambre du papy. Le vioque gît dans son haut lit de noyer à édredon rouge. Il a les yeux clos, la bouche béante, avec très peu de souffle à se mettre dans les éponges. Ça produit un gargouillis pas sympa. Ses bronches se font la valoche. Tout qui lui craque, le pauvre vieux ; il a passé la délabre, fonctionne sur les dernières goulées.

Béru pose sa large main sur l'étroite poitrine bourrée de cerceaux. Il sent du précaire, de la foirade complète. Fait la grimace.

— Qu'est-ce que vous en pensez, docteur ? demande la Croupeton, sans espoir excessif.

Le « docteur » la considère. La trouve plutôt bandante au creux de son inquiétude.

— Vous m'avez bien dit qu' c'est vot' beau-dabe ?

— Oui : le père de mon époux, pour ainsi dire.

— Donc, y vous touche pas excessiv'ment ?

— Ben…

— Rien d'comparab' av'c un papa à soi, pas vrai ?

Elle détourne son regard myosotis.

— Je ne le dirais pas devant mon mari, mais, évidemment, un beau-père, ce n'est qu'un beau-père.

— Textuel, mon p'tit cœur.

Il lui pose fraternellement la main sur l'épaule.

— Dans l'état qu'y s'trouve, tout c'qu'on peuve faire, c'est un bout d' prière, ma chérie…

Il plonge sa main par-devant et la fourvoie dans le décolleté de la boulotte dont les loloches lui paraissent avenants.

Elle feint de ne pas s'apercevoir de cette privauté. Marinette est une femme sérieuse, en général, mais la récente vision du sexe béruréen l'a profondément traumatisée. Elle ignorait qu'un membre de ce gabarit pût exister. Décidément, la nature réserve bien des stupeurs. Elle tente de repousser cette image, en vain. Ce zob surdimensionné l'obsède et elle n'est pas prête de l'oublier. Des désirs coupables l'assaillent, qu'elle n'avait jamais éprouvés jusqu'à ce jour, étant d'un tempérament calme, aux bouffées sexuelles aisément conjurables.

Le vieux a de plus en plus de difficulté à

s'approvisionner en air. Ça couine dans sa poitrine et il a du grumeleux dans les bronches.

— Vous pensez qu'il faudrait lui administrer de l'oxygène ? demande la belle-fille.

— Il en ferait quoi-ce ? objecte le Gros. C'est plutôt l'estrême-onction qu'y faut y administrer. Vous voiliez bien qu'il a commencé de rentrer son train d'atterrissage.

Tout en causant, il caresse les bouts de seins de la voisine. Elle devrait se montrer choquée de cette caresse aussi hardie qu'inopportune, mais une langueur inconnue l'empare. La grosse main experte, malgré ses callosités, lui électrise les mamelons. Sentant que la dame répond à sa flamme, le sire de Béruroche suspend ses attouchements mammaires pour se consacrer à l'hémisphère sud de la Marinette.

— Mais qu'est-ce que vous me faites ? se croit-elle obligée de questionner.

Sa Majesté s'est prestement dégagé la rapière qui roidit à une vitesse gros V.

Il ne se donne pas la peine de répondre à une aussi sotte question, partant du principe que, dans les cas d'urgence, il est superflu de mêler la parole aux actes.

Avec un brio et une promptitude qui forcent toujours l'admiration des partenaires d'Alexandre-Benoît, en moins de jouge, la bru de presque feu Honoré Croupeton se trouve déculottée et haut troussée, le visage dans le gros édredon qui sent l'eucalyptus et le sirop pectoral.

L'appréhension contracte le centre d'héberge-ment de la belle-fille. Elle se demande ardem-ment si elle va pouvoir encaisser un locataire de ce calibre. Voyez comme l'existence ménage des surprises. Il y a vingt minutes, l'état de santé de son beau-père l'induisait à réclamer du secours, et puis le docteur, négligeant le moribond, cherche à lui placer son chibre gigantesque, car, pour lui, la priorité va aux vivants davantage qu'aux mourants.

Bien que cette péripétie se déroule en marge de l'action qui va faire du présent ouvrage l'un des plus importants de son auteur, il n'est guère possible de négliger l'épisode du coït funèbre car il est essentiel pour la légende béruréenne et un écrivain pareillement surdoué est redevable de sa narration envers ses lecteurs.

Oublions donc temporairement l'agonisant pour nous intéresser aux agissements de sa bru. Celle-ci, en épouse honnête, a jusqu'alors été fidèle à une bite sous-officière d'un module des plus modestes, dont son époux, vantard grande gueule, lui donnait à croire qu'il représentait le prototype du paf accompli. Les circonstances l'amènent à réviser son jugement. Elle sait confu-sément que rien ne sera plus pareil dans ses rela-tions maritales désormais. Ce jour, outre le probable trépas de son beau-père, marquera également la fin de ses illusions conjugales.

En amant civilisé, le docteur Bérurier lui prodigue une minette qu'il veut lubrifiante, mais qui se montre pourtant insuffisante. Quelques tentatives pratiquées avec probité et un profond respect de la personne humaine restant infructueuses, force est donc à ce nanti du chibre de faire appel à des émollients plus performants que la salive. Perplexe, le souffle saccadé, le regard exorbité, il cherche du secours autour de lui.

Une longue pratique de son sexe infernal lui a appris que l'intromission est TOUJOURS réalisable quand la détermination s'en mêle. Le corps humain est malléable, souple, flexible et parvient à se prêter aux pires extravagances. Lui, Bérurier, a été confronté à des situations qui semblaient, à première vue, désespérées, mais que la volonté et la patience résolvaient magnifiquement pour la plus grande gloire de la misérable chair dont nous tributons.

Il regarde alentour, en quête d'inspiration, et trouve. Sur la table de nuit du vieil agonique, il y a une bouteille d'un sirop que l'on devine visqueux à souhait.

Alexandre-Benoît se dit que ce qui est bon pour les bronches peut le devenir pour la queue. Il empare le flacon, en dévisse le bouchon et verse un flot gluant dans le creux de son immense pogne. Ensuite de quoi, il s'en oint le pilon méthodiquement.

De prime abord, cette initiative ne semble pas modifier la situation. Lors, en Casanova expérimenté, le preux entonne le goulot dans le frifri trop exigu. Une bonne rasade qu'il répartit urbi et orbi.

Miracolo ! Ses poussées lentes et puissantes obtiennent le résultat escompté. Au bout de cinq minutes, il est installé, presque confortablement, dans le centre d'accueil de la dame Croupeton, laquelle transforme ses gémissements de douleur en cris de liesse.

La frénésie s'amplifie. La gigue se déclare. Le sommier durement sollicité grince comme une goélette par gros temps. Marinette implore que « plus vite, plus viiiiite ! ». Béru rétroque, preuve à l'appui, qu'on n'est pas des bœufs. Il déclenche son dispositif d'exception et se met à tringler la dame à toute volée, ses gros roustons battant la charge contre les miches de la donzelle écarquillée.

Dantesque ! La furia culière en majesté ! Les troupes d'Attila envahissant la Gaule ! Les Quarantièmes rugissants ! Le plumzingue craque de plus en plus sinistrement. On pressent de la cata, on comprend que le pire est en route. Et poum ! il se produit.

Tu sais ce que sont ces vieux lits d'autrefois,

plus que centenaires, dont on a dû changer le sommier exténué. Mauvais calcul. Il s'en fallait de cinq centimètres. Tant pis, on l'a calé tant mal que bien avec des chevilles, des coins de bois, des cornières de fer. Vaille que vaille, il a rempli son office, supporté des sommeils, des coïts, des accouchements. Seulement la tringle béruréenne ressemble à quelque typhon dans son genre. Elle déprède.

Au plus intense de la culée du Mammouth, quelque chose cède dans l'entrepont. Le terrain de manœuvres bascule soudain, jetant à terre, en un pêle-mêle invraisemblable, tringleurs et mourant.

La baise portée à l'incandescence ne s'arrête pas pour autant. Au contraire, cette basculade en a accentué la folle intensité. Marinette, forcée au-delà du possible, pousse une profonde clameur de stade lors du marquage d'un but.

Bérurier juge qu'il a accompli sa prestation et peut, de ce fait, songer à son confort personnel. Il déflaque la tête haute.

Un simple cri d'intense libération lui vient, qui n'est pas sans analogie avec celui du taureau perpétrant une saillie.

Il a, tout de suite après, les deux mots qu'il lance à l'issue de chaque copulation et qui expriment la joie organique du mâle œuvrant pour la propagation de l'espèce :

— Bon gu !

Ancestral ! Tous les Bérurier venant de découiller l'ont poussé. Déjà un Béroyer, fidèle compagnon de Duguesclin, le bieurlait à pleins poumons en libérant sa zone génitale.

« Bon gu. » Le besoin d'associer le Seigneur à son lâcher de potage. Humble témoignage d'une reconnaissance qui, pour être organique, n'en est pas moins fervente.

Un instant de récupération. Les amants essaient de retrouver une respiration malmenée par l'intensité de l'effort.

Et voilà que, soudain, une voix sort de cet enchevêtrage épique de viande et de literie :

— Qu'est-ce y est arrivé ? Mais qu'est-ce y est-il arrivé ?

Le mourant !

Ce séisme culier l'a miraculeusement arraché aux sombres tentacules du trépas[1].

Chiffonné, il est assis dans les décombres du plumard et considère ce couple dénudé du bas d'un œil surpris.

— Un tremb'ment d'terre, assure Alexandre-

---

1. Qu'on ne croie pas à une délirade de ma part. L'un de mes amis, considéré comme cliniquement mort, était rapatrié de l'hôpital en ambulance. En cours de route, le véhicule fut durement accidenté. Le choc ranima mon pote qui vécut plusieurs années supplémentaires.

Benoît, de mansuétude 5 su' l'échelle double d'la caserne Champerret. Voiliez dans quel état qu'y nous a mis, moi et maâme. N'heureus'ment qu'j' sus docteur et qu'j'ai l'habitude d'voir la chatte des dames, qu'aut'ment elle eusse pu s'sentir gênée, la chère femme. Soiliez pas intimidée, p'tite. Un méd'cin, c'est ni pu ni moinsse qu'un docteur. Des chattes d' gonzesses, on passe not'vie à fout' des spéculateurs d'dans. T'nez, v'là vot' slip, mon bijou ; mais vous fereriez bien d'aller vous rafraîchir la moniche au paravent. Ces s'cousses simiesques vous envoyent tout' sortes de détritus (comme on dit en latin) dans les orifesses. Moive, j'm'occupe du papa tandis qu'vous vous détartrerez la case trésor.

En homme actif bourré d'initiatives, le cher Gros « médecin » s'occupe effectivement à réparer les dégâts de la soi-disant secousse « simiesque ». Il arrache le ci-devant mourant aux décombres, l'installe dans un fauteuil voltaire que M. Croupeton père a hérité de sa tante Adélaïde, laquelle était postière à La Chaux-de-Pysse, dans le Puy-de-Dôme. Avec le seul concours de son couteau Opinel qui ne le quitte jamais, ce praticien émérite parvient à réparer le lit. Il y recouche l'ex-mourant, le borde avec des gestes de maman et va jusqu'à déposer un baiser sur son front ivoirin.

— A présent, une bonne dorme vous reconsti-tuerera, pépé, assure-t-il. Laissez-vous soigner par vot' bru qu'est très conne-pétante, s'lon d'après c'que j ai pu juger. J'r'passererai vous voir d'main.

Il retrouve sa conquête, à califourchon sur un appareil de porcelaine exécuté par l'entreprise Jacob Delafon.

— Je crois que vous m'avez blessée avec votre gros machin, docteur, dit la dame sans marquer de ressentiment.

— C'est la première fois qui coûte, rassure le docteur Bérurier. Faites des blablutions et mettez un peu d' beurre des Charentes su' les parties endouleurises. J'sus sûr qu' ma troussée de demain pass'ra comm' un' lett' à la poste.

— Demain, nous serons samedi, mon époux sera à la maison, objecte l'aimable bru de M. Croupeton senior.

— N'en c'cas, vous viendrerez vous faire trai- ter n'à la clinique, tranche calmement le praticien pour qui la vie est un long fleuve de foutre tranquille.

DIABLE

— Les travaux sont presque terminés, remarque Toinet. Tu dis que c'est tonton Béru qui a repeint tout ça ?

— Un surdoué du pinceau, ricané-je-t-il. Ce gros sac à merde doit se trouver au bistrot.

— Il n'a pas besoin d'y aller, ricane le môme ; tu as vu ses provisions ?

Il me désigne des caisses de bouteilles pleines, empilées dans le fond de la pièce.

Sur la réplique, le Mastard apparaît dans sa blouse blanche maculée de peinture. Il rougeoie plus que jamais. De loin, sur un champ de neige, tu le prendrais pour le drapeau japonais.

— D'où viens-tu ? l'apostrophé-je froidement.

— Une urgence ! rétorque l'Obèse avec gravité.

— C'est-à-dire ?

— Une voisine avait b'soin d'un méd'cin pour son beau-dabe qu'est en train de larguer les amarres.

— Et tu lui as fait quoi ?

— Ce qu'y fallait, assure sobrement notre ami. J'croive pas qu'y lâche la rampe aujourd'hui.

— Quand penses-tu avoir terminé tes travaux ?

— En fin d'journée. Y reste plus que l'plaftard d'c'te piaule.

— C'est cet après-midi qu'on amène les meubles, souligné-je.

Le Dodu se fout en rogne :

— Est-ce que tu te rends-il compte qu'j'm'aye appuilié seulâbre tout le restechaussé de c'te masure ? On d'vait z'êt' trois s'lon d'après c'qui m'avait été annoncé.

— Pas ma faute si la belle-mère de Jérémie est morte et si Pinaud est allergique à l'essence de térébenthine.

— Conclusion, c'est moive l'con ! dit sinistrement le Gros.

Toinet fait soudain, d'un ton désinvolte :

— Oncle Béru, je te signale que tu as des traînées de foutre sur ton bénoche et que ça fait désordre.

— Y a pas de honte : c'est le mien ! riposte sans s'émouvoir le Casanova des comptoirs.

— Je croyais que tu étais allé donner une consultation médicale ? objecté-je.

— Et alors ? Ça interdit de baiser ? On peut joind' l'agriab' à l'utile, mec. Pas d'ma faute si la bru du mourant a un fion comm' une porcherie d'église.

Il va pour développer son argutie, mais un pas viril fait sonner le couloir de la maison vide et un motard de la Préfecture s'inscrit dans l'encadrement.

Me reconnaît et me salue militairement.

Il fouille sa sacoche. Comme il s'agit d'une giberne et non d'une gibecière, il en extrait un pli, au lieu d'un perdreau foudroyé.

— De la part de M. le ministre, annonce-t-il.

Je fais sauter le disque adhésif qui, de nos pauvres jours, remplace les somptueux cachets de cire d'antan.

Message.

Te le livre in extenso :

Cher ami,

A l'instant où je dois me rendre en France d'Outre-mer : une tuile. Son Excellence Karim Kanular, ambassadeur permanent de la Chyrie à l'Otan, vient d'être assassinée dans une maison de rendez-vous de Courcelles en des circonstances extrêmement mystérieuses. Le commissaire Mordanrir a fait les premières constatations.

Apprenant la qualité du défunt, au lieu d'ébruiter la chose, il a illico prévenu les R.G. Je vous charge de l'enquête. Une seule consigne : affaire top secret !

En mon absence, tenez mon secrétaire privé,
Hilaire Dunquon, au courant du développement
de vos investigations. Je compte sur vous.

L'estafette vêtue de cuir me considère d'un œil
pétillant d'ennui.

Ayant lu, je coule le pli *in my pocket*.

— Je vous remercie, brigadier, le congédié-je-
t-il.

Il retourne brûler de l'essence en faisant
sonner les carreaux du hall sous ses chaussures
motardes.

— Eh bien ! ça n'aura pas traîné, soupiré-je.
Nous n'avons pas encore pris possession de notre
nouveau P.C. que le boulot démarre !

— Que dois-je faire-t-il ? s'inquiète le gros
Sac à merde.

— Achever de repeindre notre nouveau local
de fonction.

— Et ensuite ?

— Je te préviendrai.

— Comment-ce ? Le bigophone a pas été
rétabli !

— Toinet va s'en occuper.

Il m'examine d'un regard sans joie.

— T'as plus l'air d'êt' toi-même, remarque ce
grand observateur de l'humain.

— Je cherche mes nouvelles marques, soupiré-
je.

— Alors dégrouille-toi d'les trouver parce qu'
t'es moins marrant d'puis quéque temps.

Mordanrir est un Normand bon teint dont la
bouille rutilante serait à sa place sur l'étiquette
d'une boutanche de cidre. On a toujours l'impression que ses pommettes vont saigner si on les
touche. Il a l'œil matois, le front dégarni, et l'air
d'un mec qui vient de vendre à un très bon prix
une maison hantée à un innocent vacancier.

Il est en bras de chemise dans son burlingue,
avec son holster de cérémonie bien sanglé et qui
ressemble à quelque appareil orthopédique.

— Je vous attendais, monsieur le directeur,
déclare-t-il en ôtant ses 45 fillette de son sous-
main.

Il n'y a pas si longtemps, on se tutoyait. Mais
Mordanrir respecte les promus, pensant que c'est
la manière la plus sage de se faire promouvoir à
son tour ; il sait qu'un subalterne doit garder ses
distances s'il veut qu'elles soient abolies un jour.

— Tu sais ce qui m'amène ? demandé-je en
m'asseyant dans le fauteuil réservé aux interroga-
toires (je parle de celui des interrogés, bien
entendu).

— La mort de l'ambassadeur ?

— Gagné.

— Quand on m'a annoncé, en haut lieu, que quelqu'un de spécial allait être chargé de l'enquête, j'ai tout de suite pensé à vous.

Je ne réponds rien. Dans ces cas-là, il vaut mieux conserver ses réflexions pour soi : elles peuvent resservir.

Je sors l'un des calepins au papier ligné, que m'a légués mon papa, ainsi que mon stylobille.

— Je t'écoute, Magloire.

C'est son surnom dans la Rousse, à cause du calva qu'on distille dans son bled.

— Vous avez dû entendre parler du prince Kanular ?

— Moins que plus, fais-je. Il est incontournable dans les raouts distingués et les soirées mondaines, préside des manifestations caritatives, organise des galas de bienfaisance et porte davantage le smoking que la gandoura !

— C'est un bon résumé du prince, lâche mon confrère. Ce personnage n'a qu'un défaut reconnu : la pointe. La légende prétend qu'il consomme jusqu'à trois femmes par jour, et avec brio. Dans les claques huppés, ces dames ne rêvent que d'être choisies par lui.

Il se retient d'ajouter : « Un type dans votre genre, quoi ! » mais le prononce avec les yeux, si je puis dire.

— Bon préambule, complimenté-je.

— Merci. Donc, hier soir, le prince est allé

tirer sa crampe vespérale dans une maison confortable proche du théâtre Hébertot. Sa partenaire était du genre vendeuse, style qui excite particulièrement Sa Seigneurie.

« La prostitution n'est pour la fille qu'une source de revenus occasionnels destinée à lui assurer le superflu. Beaucoup de petites polissonnes sont dans son cas à Paris, trouvant ainsi un excédent de plaisir et de finances.

« Comme à chacune de ses visites, Kanular commence la petite cérémonie friponne par l'ouverture d'une bouteille de champagne ; breuvage que sa religion lui interdit, mais dont il raffole. Il a, aux dires de "Madame", une façon très particulière de le boire puisqu'il se sert du sexe de sa partenaire comme d'une coupe. Sa réputation est solidement établie, au point que l'on place toujours une alaise sur le lit de ses exploits. »

Je souris.

— Tu racontes bien, commenté-je.

Il me vote un sourire reconnaissant.

— Ensuite ? l'encouragé-je.

— Eh bien, pour ensuite, on ne peut faire que des suppositions. A un certain moment, le prince a débouché la bouteille de champagne ; il excellait, paraît-il, dans ce délicat exercice.

— Et le champagne était nocif ?

— Remplacé par un gaz qui a dû s'échapper dès que le bouchon a sauté. On a transmis le récipient au labo, je crois que vous aurez le rapport dans l'après-midi.

— Voilà un meurtre peu banal, je dis comme ça, sans me mouiller.

— Un double meurtre, car la femme est décédée également.

J'opine en branlant le chef, lequel est de bonne composition.

— Ensuite ? demandé-je, insatiable.

Magloire produit avec sa bouche l'un des multiples bruits que Bérurier exécute avec son anus.

— Plusieurs heures se sont écoulées. Le garde du corps du prince a fini par perdre patience dans l'antichambre et a demandé à la mactée de s'informer. La suite, vous la devinez. On a toqué à la porte ; personne ne répondant, on a fait sauter le verrou.

« Il subsistait encore du gaz nocif car le préposé à la sécurité du diplomate a dû être hospitalisé par la suite et "Madame" elle-même s'en est trouvée incommodée. »

— Et puis ? lancé-je-t-il, avide tout plein (si je puis dire).

— Mme Mina, la taulière, m'a appelé en confidence.

— Tu es sur sa liste civile ?

Il sursaute.

— Qu'allez-vous penser, monsieur le directeur ? Ma carrière est irréprochable.

— Je plaisantais.

— Me suis rendu seul dans son pince-cul. Là, le garde du corps du défunt, bien que très mal en point, m'a fait tout un schprountz pour que je n'ébruite pas la chose. Alors j'ai appelé l'Intérieur où l'on m'a confirmé qu'il fallait observer une discrétion totale et que « quelqu'un » allait s'occuper de l'affaire. J'ai donc apposé les scellés sur la porte de la chambre.

— Après avoir évacué les corps ?

— Non, monsieur le directeur, je n'ai touché à rien, n'ignorant pas combien sont importantes les premières constatations.

— Tu sais que tu es génial, dans ton genre ?

— J'aime mon métier et je le connais, dit-il avec une telle noblesse que j'en urine dans mon slip.

ALLONS DONC

C'est triste, un bordel en deuil. Une impression de cataclysme, ça donne.

Madame, vêtue de sombre, est prostrée comme une veuve de fraîche date. Trois « jeunes filles bien » lui tiennent compagnie au salon en feuilletant des magazines. Mais ni les pertes blanches de la cour britannique, ni les réceptions de la Maison également blanche, ne sollicitent leur intérêt. Elles illustrent ce vers de La Fontaine dans « Les animaux malades de la peste » : « Plus d'amour, partant, plus de joie ».

Ce jour en berne est aussi, inévitablement, un jour de relâche : fermé pour cause de menstrues collectives !

Un gars des Renseignements généraux lit *Paris-Turf* dans l'antichambre en mâchant du chewing-gum, ce qui fait un bruit de cuissardes de pêche détrempées.

En m'apercevant, il se lève pour un semblant

de garde-à-vous, articule « Mes respects, monsieur le directeur », comme on le lui a appris aux cours du soir et en glaviote sa gomme sur le tapis.

Les lieux dégagent cette saine odeur d'encaustique et de draps enfoutraillés des claques jadisieux. Ça sent le renfermé aussi, comme tous les endroits d'où le soleil est proscrit. Cela dit, c'est confortable, douillet, sans fautes de goût excessives.

On comprend que des hommes d'affaires excédés, des époux délaissés et des intellectuels déprimés par leur manque d'inspiration viennent y chercher un peu d'oubli. De nos jours, le citoyen doit trop tenir sa droite et s'arrêter aux feux rouges ; trop régler de factures à dates fixes ; trop se soumettre à des gens et à des lois. Il a besoin de balancer un peu de vapeur en douce pour ne pas sombrer. Le pince-fesses discret de Madame lui fournit l'exutoire de première urgence qui lui évite d'imploser. Il tient le coup parce qu'il le tire. Se faire vernir la sentinelle suisse est son seul abandon. Ici, il ose oublier, l'espace d'un orgasme. Il n'a pas honte de ses fantasmes et les exprime bien haut. S'il aime qu'on lui lèche les gros orteils, il le clame. Le doigt dans l'oigne, la langue de velours et mille autres requêtes d'apparence saugrenue lui sont faciles à exposer. *Il paie pour*, comprends-tu ? Y a pas à se gêner, c'est tout bon. Quelques fafs prélevés sur l'héritage en devenir de ses enfants et il peut se faire lichouiller le sous-couilles, demander à deux dames de se crougnouner la ligne médiane, si un tel spectacle l'inspire. Il emmerde son épouse revêche, ses pairs, leurs paires, la République une et invisible. Tu sais quoi ? Il est libre !

En m'apercevant, Madame se précipite, devinant tout de suite en moi l'homme cheville. L'important.

Bonne tenue. Une femme opulente, teinte en acajou cendré. Maquillage mauvissant, assez discret.

Chez ces personnes qui ont fait carrière dans le cul, l'expérience est si affûtée qu'elles jaugent l'arrivant de fond en comble, d'un premier regard.

Ainsi, Mme Mina réalise-t-elle, en moins de quatre secondes, que je suis un homme porté sur la chose, doué d'un solide tempérament de queutard, qui ne se laisse pas aisément vendre un paillasson pour un Chiraz, qui raffole de la vérité, sait l'exiger le cas échéant, perd patience rapidement, impose son point de vue en employant les grands moyens si nécessaire et ne s'emberlificote jamais dans les préjugés.

Elle me sourit doux, à grand renfort de molaires titrant leurs dix-huit carats, et une langueur femelle embrume ses prunelles alourdies par une albuminerie chronique.

— Est-il possible de se ménager un tête-à-tête ? lui demandé-je après avoir touché sa main potelée de vieille madone adonnée aux féculents.

— Mais naturellement, susurre la duègne du cul en congédiant ses pouffiasses d'un geste blasé.

Elle ajoute :

— J'espère qu'on va rapidement faire le nécessaire à propos de… de ces gens d'à côté ? Vous vous rendez compte qu'ils sont là depuis…

Je me laisse tomber sur un siège hélicoïdal nommé « conversation ».

Au lieu de prodiguer les promesses qu'elle escompte, j'attaque, plus grincheux qu'un marchand de cigares que ses assureurs ont contraint à faire ignifuger ses stocks :

— Qui sont les gens d'à côté ?

La bordelière éplore du mufle et de la voix :

— Elle, je ne la connais pas. Lui, c'est un habitué. J'ai vu un jour sa photo dans un magazine. J'ai ainsi appris qu'il était ambassadeur et prince arabe.

— Vous le voyiez souvent ?

— Disons en moyenne une fois par mois.

— Depuis longtemps ?

— Ça doit faire la deuxième année.

— Si je comprends bien, il amène son manger ?

— Toujours.

— En ce cas, pourquoi aller dans un bobinard et non à l'hôtel ?

— C'est-à-dire qu'en cours de séance, il fait appel à de la main-d'œuvre qualifiée.

— Pour résumer, il arrive avec une petite sauteuse qu'il a levée quelque part, l'entreprend, et quand la fille est « à point », il a recours à des professionnelles pour des ébats plus techniques ?

— Voilà qui est bien résumé, admet Madame qui a conservé l'habitude de lécher, bien que n'étant plus participante.

— Comment se sont déroulées ses précédentes prestations chez vous ?

— Le mieux possible. C'était un homme très « porté » mais bien élevé. Il exigeait beaucoup et payait largement. Nous n'avons jamais eu le moindre problème avec lui. Il arrivait, escorté de son garde du corps, qui n'était jamais le même.

— Celui-ci consommait, en attendant son boss ?

Elle sourit.

— Jamais ! Ça devait lui être interdit. Il restait assis dans l'antichambre, sur le siège qu'occupe le policier en ce moment. Il sortait un livre ou un journal de sa poche et lisait pendant tout le temps que son maître passait chez moi. Les cris de ces dames le laissaient indifférent ; c'était, chaque fois, une espèce d'intello que le monde n'intéresse pas.

Je crois assister à la scène. Ces garçons B.C.B.G. lisant à quelques mètres de la pièce où se perpètre une enfoirade perverse, sans broncher, voilà qui est étrange.

— Un Arabe, ce garde du corps ?

— Pas le dernier, mais alors pas du tout. Un type roux, aux yeux clairs.

— Il existe des Arabes roux, fais-je-t-il.

— J'ignorais. En tout cas, ce gars ressemblait plutôt à un Anglo-Saxon. Il ne parlait presque pas, le peu que je lui ai entendu dire, il le prononçait avec un accent étrange.

— D'où, selon vous ?

— Pas anglais, peut-être scandinave ?

— Arrivons au drame.

J'ai usé de ce cliché pour recycler la dame qui avait des velléités littéraires.

— Eh bien, ils sont arrivés, tous les trois. Le couple est entré dans la chambre habituelle.

— Le diplomate avait réservé ?

— Depuis la veille.

— Ensuite ?

— J'ai fait porter le champagne. C'était réglé comme du papier à musique.

— D'où provenait-il ?

— De mon réfrigérateur.

— Qui l'a servi ?

— Miss Cannelle, notre femme de chambre noire.

— Quelqu'un a-t-il eu la possibilité de placer une bouteille « trafiquée » dans votre frigo ?

— Quelqu'un… Vous voulez dire de la maison ?

— Un familier ou un étranger, naturellement.

— Un familier, bien sûr ; un étranger, sûrement pas. La cuisine, qui d'ailleurs sert fort peu, est tout au bout du vestibule que vous apercevez à droite. Jamais un client ne l'emprunte ; y a pas de raison, d'autant que les toilettes des clients se trouvent dans la direction opposée.

— Je peux parler à Miss Cannelle ?

— Facile.

Elle se met à crier d'une voix qui, brusquement, évoque la criée de Marseille :

— Caca, bordel !

Ce qui prouve que ses interjections restent en rapport avec sa profession.

Une femme noire, d'une trentaine d'années, mesurant un mètre quatre-vingts, coiffée court comme un catcheur américain, surgit par un étroit couloir qu'elle obstrue de sa masse.

— Caca au rapport, mon colonel ! annonce-t-elle, ses trois mentons dressés comme pendant un salut aux couleurs.

La mactée la présente brièvetivement :

— C'est Cannelle !

Puis à la Noirpiote :

— Monsieur a des questions à te poser ; réponds-lui clairement si tu en es capable.

La femme de chambre riposte, avec une distinction qui n'échappera à personne :

— Tes vannes, je me les fous au fion, grosse vache !

— Elle est nature ! me glisse Madame dans le conduit auditif.

— C'est ce que je crois comprendre, dis-je.

La demoiselle Cannelle sent la place du village au lendemain du cirque Bouglione. Elle a une expression matoise qui lui vient de son regard insolent et rusé. Me le darde en pleine poire d'un air provocant.

— C't'à quel propos ? me demande-t-elle.

— Si je vous disais que je fais une enquête sur la vie des Africains de Paris, vous auriez des doutes, dis-je-t-il.

Elle ne cille pas. Un air bonasse s'épanouit sur son visage d'ébène. Je poursuis :

— Il s'agit du champagne bidon que vous avez servi au diplomate de la chambre…

— Louis XIII ! souffle la bordelière.

— Louis XIII, répété-je avec un ineffable sourire qui flanquerait la chiasse verte à un crocodile constipé.

Mais la grosse Noire ne s'émeut pas.

— Qu'est-ce que vous voulez que je vous dise ? fait-elle avec, tu l'auras remarqué, une insolence caractérisée.

Tu connais ma patience ?

— Ecoutez, mon petit, murmuré-je, peut-être que vos airs blasés en imposent aux radasses qui viennent s'expliquer dans ce claque, et aussi – pourquoi pas ? – aux vieux kroums en chaleur qu'elles épongent ; en ce qui me concerne, ma brave amie, ils me font seulement chier, chier et encore chier ! La récré est finie. Ou bien vous redevenez simple, ou bien je vais vous interroger à la Maison Parapluie qui est moins confortable que ce boxif. On sait quand on y rentre, mais on ignore quand on en sort.

Je pense que ce parler direct a raison de son impertinence naturelle. Son regard d'un beau jaune se met à errer sur le sobre décor qui nous environne, s'accrochant aux tentures, aux fanfreluches, aux gravures « légères », aux « objets d'art » (desquels j'extrais pour mention spéciale : un grand éventail andalou et un petit Sèvres représentant une marquise en robe à panier en train de se caresser sur un sofa).

Son mutisme révélant la soumission la plus performante qui soit, je reprends :

— Je veux tous les détails concernant la bouteille de champagne de la chambre Louis XIII.

Elle offre à présent un visage d'humilité teintée d'affabilité.

— Franchement, articule la grosse fille, y a rien de particulier à en dire. Je l'ai prise dans le frigo où l'on en met toujours à refroidir. Je l'ai enfoncée dans un seau empli de glace pilée et l'ai posée sur un plateau avec deux flûtes.

— Ensuite ?

— Ben, j'ai porté le tout dans la chambre.

— A quel moment ?

— Avant l'arrivée de ces « messieurs-dames ».

— Son Excellence était l'exactitude même ! souligne la taulière.

— Combien de temps avant la venue du couple ? insisté-je.

La propriétaire du dégorgeoir à membranes réfléchit.

— Qu'est-ce qu'il faut vous répondre ? murmure-t-elle.

— La vérité, dis-je, je m'en contenterai.

— Peut-être vingt minutes ? propose-t-elle.

— O.K., on dit vingt minutes. Quelqu'un a pu entrer dans la chambre entre le moment où on y a déposé le faux champagne et l'arrivée de Son Excellence, je suppose ?

— Sûrement, mais qui ?

— Bonne question, à laquelle j'aimerais que vous trouviez réponse.

Elle gonfle ses joues pour une imitation de pet à laquelle elle surseoit au dernier moment.

— En dehors de nous autres de la maison, je n'avais que deux clients à ce moment-là.

— J'aimerais avoir leurs coordonnées.

Son indignation spontanée prime son désir de coopération.

— Voyons ! Voyons ! fait-elle. Nous sommes astreints au secret professionnel !

Je lui souris tendrement.

— Ma chère amie, dis-je, vous n'êtes que je sache, ni prêtre ni médecin. Il s'agit d'une affaire criminelle très importante à côté de laquelle votre boxon n'a pas plus d'intérêt qu'une merde de chien sur un trottoir. Et il risque grandement de sombrer dans l'aventure, la mère ! Si vous ne le comprenez pas et ne faites pas tout ce qui est en votre pouvoir pour nous aider, votre maison close le sera tellement que personne ne pourra y entrer avant le troisième millénaire !

« Voilà de quoi écrire, notez-moi tout ce que vous pouvez comme renseignements à propos des deux clilles en question. Et n'essayez pas de louvoyer, sinon je fous la vérole dans votre taule de merde où d'ailleurs elle doit être endémique. Vous me recevez cinq sur cinq ou dois-je faire appel à nos services de décryptage ? »

— Seigneur ! Ne vous fâchez pas, monsieur le directeur. Je vous disais cela par souci de discrétion.

Désignant le papier vierge (il n'y a que lui qui le soit encore dans cette turne à la con), j'ordonne :

— Ecrivez ! Tout et vite. Si vous ne sentez pas

que votre quiétude bourgeoise tient à un fil, c'est que vous avez les narines obstruées avec du mastic de vitrier !

Elle acquiesce si véhémentement qu'elle en paume l'une de ses boucles d'oreilles.

Heureusement, elle la retrouve sur le tapis. Une telle perte eût été irréparable, le demi-bijou représentant un petit lutin d'or jouant de la trompette de diamants.

Tandis qu'elle entremêle des voyelles et des consonnes selon des règles qui lui furent enseignées à la communale de Marches-sur-l'Etron, son village natal, j'enjoins à la Noiraude de m'emporter jusqu'à la cuisine.

A la vétusté d'icelle, on devine que ce vaste appartement ne sert qu'à baiser et que ceux qui le fréquentent s'alimentent ailleurs. Les murs sont peints couleur chiasse d'hépatique, les tuyaux du gaz et de l'eau sont descellés, les carreaux s'enfoncent sous les pas telles les lamelles d'un xylophone, et des cartons s'empilent, qui contiennent le matériel inhérent aux occupations des dames de félicité chargées de prodiguer leurs soins éclairés aux pauvres découilleurs en mal de jouissance rendus là pour s'essorer les pulsions (la phrase est d'autant plus longue que peu ponctuée).

L'élément clé de cette cuisine délabrée est le réfrigérateur. Puissant comme un coffre de banque (il ferme également à clé), il fait songer à une banquise.

Je prie Miss Cannelle de le déponner.

Le meuble est empli de bouteilles, de roteuses pour la majorité. Je demande à la grosse ancillaire où se tient le Rougon-Macquart.

— Il n'en reste que deux bouteilles, fait-elle ; il est plus cher que le Dom Pérignon, vous pensez ! Généralement, nous servons du Couillard Grand Siècle.

Elle sort de l'armoire réfrigérante deux flacons qui ressemblent à des quilles de bowling et dont le capuchonnage est de couleur épiscopale.

Je les regarde par transparence. Elles contiennent un liquide ambré qui ressemble tellement à du champagne que ce doit en être.

L'autre bouteille était-elle pareille à celles-ci ?

Je le demande à Miss Cannelle qui me répond par un :

— Ben, évidemment ! bougon.

Une boutanche à chaque main, je vais rejoindre le flic en faction dans le vesticule (qu'on peut appeler également testibule).

— Portez-les au labo, vous les remettrez en main propre à M. Mathias, de ma part.

— Tout de suite, monsieur le directeur.

— C'est vous qui détenez la clé de la chambre « en question » ?

— La voici.

Je vais enfin ouvrir la « pièce mortuaire ».
Mme Mina me coupe le chemin pour me remettre
les deux noms des clients qui se faisaient battre
les blancs en neige pendant qu'avait lieu le
drame. Je glisse son faf dans ma poche, remettant
à plus tard de le consulter. Ce préambule a suffisamment duré, il est grand temps d'entrer, non
seulement dans la piaule « fatale », mais aussi et
surtout dans le vif du sujet. C'est à dessein, parfois, que je diffère les instants culminants, ce
pour mieux m'y préparer.

Je délourde posément, à cause des scellés. Cela
commence chaque fois par une odeur inhabi-
tuelle, outrageante. Moi qui possède un olfactif
surdéveloppé, je marche beaucoup au pif. Mon
tarbouif est comme un compagnon qui vigile en
mes lieu et place. Il me livre des subtilités dont la
plupart échappent à des narines moins exercées
que les miennes. Il m'est arrivé de me méfier de
quelqu'un uniquement à cause de son odeur. Il
avait bonne apparence, mais quelque chose sour-
dait de lui qui me mettait en alerte.

Mais trêve ! J'écarte la porte.

Et alors, c'est pas la stupeur, mais l'incompré-
hension.

Figure-toi que rien !

Personne !

La piaule est vide !

VACHERIE

Cartésiennement, je me tourne vers Madame.

— Ce n'est pas la bonne chambre ! lui dis-je-t-il, essayant de m'en convaincre.

Elle me rejoint. Tiens, elle se met à fouetter le rance. Son slip qui surmène, probable. Le fondement lui échappe comme à Madame Gargamelle.

Elle visionne. Cramponne le chambranle.

Ses origines bretonnes (ou alsaciennes, me rappelle plus) lui reviennent comme à une qu'aurait bouffé trop de sardines à l'huile en buvant du Perrier.

— Mon Dieu ! s'exclame-t-elle. Sainte Vierge ! Sainte Thérèse de Lisieux ! Saint André le Gaz ! Saint Claude, patron de toutes les pipes ! Que nous arrive-t-il ?

Je m'avance dans la pièce déserte. La fenêtre est fermée, les doubles rideaux tirés, le couvre-lit bien tendu.

— On ne se trompe pas de chambre ? m'enquiers-je malgré tout, mais d'une voix si basse qu'il faut se mettre à plat ventre pour l'entendre.

— Non, non, c'est bien la chambre royale, fait la mactée d'un ton tellement sourd qu'il est impossible de le percevoir sans amplificateur.

Un court vertige chamboule les points cardinaux et je me trouve tourné vers le Sud pour chercher l'étoile Polaire.

— Venez là, ma biche ! l'invité-je.

La taulière se caramelle à pas zombiesques, dépose un cul de quatre-vingts kilogrammes sur la partie contiguë mais opposée du siège que j'occupe et torche enfin, d'un revers de poignet, le filet de salive qu'une trop forte stupeur fait dégouliner de sa bouche.

— Que votre foi n'en soit pas affectée, mon enfant, lui chuchoté-je. Hormis les mystères de la Sainte Eglise, il n'en existe pas d'autres ; tout, ici-bas, comporte une explication rationnelle, ma charmante. Nous allons reprendre depuis l'instant où le diplomate est arrivé chez vous, escorté de sa gonzesse et de son garde du corps. Narrez-moi les choses sobrement mais sans rien omettre.

Elle opine (elle qui a tant opiné au cours de sa valeureuse carrière de pompeuse).

— Je vais vous aider de mes questions, ma bonne, l'encouragé-je. Le trio s'est pointé ici à quelle heure ?

— Vers dix-huit heures, hier soir.

— La chambre d'amour était prête, le champagne faisait trempette, la plus grande harmonie régnait.

— Voui.

— Vous avez donné votre bénédiction urbi et orbi aux amoureux et vous vous êtes retirée avec cette grande discrétion qui fait votre charme. D'accord ?

— Czactement, dit-elle.

— Tandis que le couple était censé s'ébattre, le garde du corps lisait dans l'entrée. Vos pensionnaires et vous-même vaquiez. Ces demoiselles prodiguaient les dernières pipes de la journée, les ultimes intromissions du médius dans l'œil-de-bronze, les dernières hardiesses de langage dont sont gourmands des hommes qui en ont marre de veiller à la concordance des temps une journée entière et qui, ne pouvant toujours sortir une grosse queue de leur culotte, sortent des gros mots de leur conversation, histoire de se relaxer. Et ensuite, ma chère enfant ?

Mme Mina soupire :

— Mes autres habitués sont partis.

— Les bourses vides et le cœur content ?

— J'espère. Le secrétaire de Son Excellence a commencé de s'inquiéter parce que son patron avait un rendez-vous important à vingt heures et qu'il allait être à la bourre. Il est allé frapper à la chambre du prince.

— Pas de réponse ! fais-je.

— Comment vous le savez ?

— Je le devine.

— En effet.

— Et alors, ma gentille hôtesse ?

— Comme on s'est inquiétés, il a donné un coup d'épaule dans la porte. Son Excellence avait juste mis la targette et ça a suffi.

— Et alors ?

— Ben on les a trouvés morts, tous les deux. Y avait une sale odeur. J'ai fichu le camp. Le secrétaire, lui, a été ouvrir la fenêtre et les volets, ce qui n'a pas été facile, vu qu'on ne les ouvre jamais.

— Dame, fais-je : une maison close !

— Il est resté un moment à cigogner l'espagnolette et les crochets. Si bien que ça l'a fait respirer le mauvais gaz. Quand il est ressorti, il titubait et s'est évanoui à moitié. Alors j'ai téléphoné à la Police.

— Plus exactement au commissaire Mordanrir ?

— J'ai préféré, plutôt que de prévenir Police-Secours ; mon client étant diplomate, il m'a semblé qu'il convenait d'être discret.

— Et comme vous avez bien fait, ma douce amie. Mordanrir est un ami à vous ?

— Je ne dirais pas ça.

— Un habitué ?

— Disons qu'il passe de temps en temps consommer l'une de mes jeunes filles.

— Et palper son enveloppe ?

Elle insurge :

— Ah ! non, jamais d'histoires de fric entre nous ! Un petit coup de bite, une pipe express, d'accord, mais c'est pas un homme à enveloppes, Mordanrir.

— Heureux de vous l'entendre dire. Après ?

— Il a fait les premières constatations et puis il a longuement téléphoné en haut lieu.

— Et alors ?

— Il a pris des instructions. Puis il a fermé à clé et apposé les scellés. Quand un type de leur équipe est venu pour monter la garde, mes demoiselles et moi sommes rentrées chez nous.

— Où demeurez-vous ?

— Au sixième étage de ce même immeuble, avec ma vieille mère et ma fille divorcée.

— Retour ici à quelle heure ?

— Habituellement, il n'y a personne avant onze heures du matin, mais compte tenu des circonstances, je suis descendue à sept heures.

— Il y avait quelqu'un ?

— Ben, un collègue du flic de la veille qui était venu remplacer son confrère au cours de la nuit, vous l'avez du reste vu.

— Qu'était-il advenu du garde de corps de Son Excellence ?

— Comme il était mal en point, le commissaire Mordanrir avait appelé une ambulance pour le faire emmener à l'hôpital.

Je réfléchis.

— En conclusion, les deux morts ont été évacués en votre absence, pendant la nuit ?

— Sans l'ombre d'un doute.

Je réfléchis. Une telle opération n'a pu s'opérer qu'en l'absence d'un des deux flics qui se sont relayés ici, ou avec sa complicité.

J'ai été con de ne pas examiner de près les scellés avant de délourder la chambre : ils ont fatalement été bricolés au cours de la noye !

ÇA ALORS !

Pinaud avait fait glisser son pantalon le long de ses jambes cagneuses d'échassier arthritique, ouvert son caleçon et remonté le devant de sa chemise qu'il maintenait soulevé en le pressant du menton contre sa poitrine de poulet étique.

Ses longs ongles de bibliothécaire chinois grattaient les pauvres poils grisonnants de son bas-ventre avec une application de laborantin travaillant à la mise au point d'un explosif.

Son mégot de Boyard collé au coin de sa bouche l'amenait à baver comme un chien auquel parviennent des senteurs culinaires. Trop de concentration le fit péter, ce qui était rare et d'inadvertance chez cet être bien éduqué.

— Quand l'tonnerre gronde, c'est qu'l'orage est pas loin, prophétisa Béru.

Il ajouta :

— T'as de l'orticaire ?

— Non, soupira César : des poux de corps.

— Moive, j'ai souvent n'eu des morpions, mais jamais des poux de corps, assura le Gros avec une sorte de contentement dans la voix ; celui qu'éprouve l'épargné vis-à-vis de l'accablé.

Pinaud doubla son vent, mais sur un mode mineur.

— T'as croisé des flageolets sur ta route ! diagnostiqua le Mastard qui savait beaucoup de la vie organique de l'homme.

— Non, assura Baderne-Baderne, je ne les supporte plus.

— Dommage. Moive j'aime bouffer des choses musicales, telles que du lait froid av'c des châtaignes. Les hivers à la ferme, on y avait droit tous les vendredis, biscotte ma vieille avait d'la r'ligion à plus savoir qu'en foutre. Si j't' dirais qu'pépé planquait du lard dans son lit lès jours de maigre, qu'aut'ment sinon y n' pouvait pas s'endormir. Et où c'qu'tu les as chopés, ces poux d'corps, l'Ancêtre ?

— Je soupçonne une petite vendeuse de journaux subversifs de me les avoir passés. Une vraie diablesse aux grands yeux humides. Je lui ai demandé si elle accepterait de me prodiguer une fellation dans ma Rolls, moyennant cinq cents francs de rétribution. Elle m'a donné son accord pour une étreinte classique, alléguant qu'elle n'avait jamais pu conduire une pipe à bien à cause des haut-le-cœur qui en résultaient. J'ai objecté à cette friponne que mes bandaisons sont de plus en plus aléatoires et que je les mène rarement à terme, mais qu'on pouvait, cela dit, risquer l'aventure.

« Contre toute attente, la petite gueuse m'a inspiré et je me suis comporté comme un fringant saint-cyrien. Seulement la démone hébergeait une méchante faune dans sa culotte et depuis deux jours je me gratte à m'en arracher la peau des bourses. »

— Faut qu'tu vas acheter de l'onguent gris, décréta Alexandre-Benoît ; des fois que ça agirait su' les poux d'corps comm' su' les morbachs !

— Je n'ose pas, avoua La Pine. Tu me vois demander cela à une petite préparatrice, à mon âge !

— Reculotte-toi et allons-y ! fit sobrement le Gros. Je demanderai, moive !

Ils quittèrent le pavillon servant de P.C. à la nouvelle « équipe de choc ». Une officine à croix verte se trouvait au coin de l'avenue bordée de platanes croisant leur rue tranquille.

Elle était déserte quand ils y pénétrèrent. Une dame pharmago, jeune et enceinte, disposait des eaux de toilette dans une vitrine, assistée d'une jeune fille blonde comme Ophélie et qu'on pouvait craindre pucelle.

Bérurier leur sourit large. Il avait des traces de jaune d'œuf sur son revers et de foutre sur sa braguette, suite à sa copulation avec la bru du mourant.

— Salut, mes jolies personnes ! lança-t-il. J'voudrerais savoir si l'onguent gris carbonise les poux d'corps n'aussi bien qu'les morbachs ?

La pharmacienne considéra l'hurluberlu avec interloquance, puis sourit devant cette large trogne de con en technicolor.

— Il n'y a aucune différence, assura-t-elle.

— Alors aboulez-en une boîte, mon petit cœur, c'est pour mon ami que voici. Y s'gratte les broussailles du bas-vent' jusque z'au sang. Avouez qu'c'est pas d'bobol, quand on a l'âge d'Jérusalem, d's'faire coller une ménagerie dans l'calbute !

Comme je me pointe au volant de ma 600 SL, j'aperçois Pinuche et Béru qui sortent de la pharmagoterie. La Pine marche étroit tandis que le Gravos planture.

Je stoppe à leur niveau.

— Ordinairement, c'est plutôt les bistrots que vous fréquentez, ricané-je.

— La Vieillasse a morflé des poux de corps, clame Bérurier. Tu savais qu'ça éguesistait, toive ? Paraît qu'ça ressemb' aux morbachs, mais c'est des poux.

— Nul n'est à l'abri des fléaux de l'existence, dis-je. Remuez-vous, nous avons du pain sur la planche.

Nous voici dans le salon. Toute la crèche sent la peinture fraîche. Pas désagréable, mais c'est « entêtant » comme disait grand-mère.

Je leur narre les péripéties que tu sais, tandis que le Mastodonte, serviable, oint de pommade le triste bas-ventre du Chétif.

— Tu parles d'un gras-d'os ! ricane Alexandre-Benoît ; c't'à se demander c'qu'ces pauv' bêtes viennent chercher dans ton bénoche. E m'font d'la peine ! Chez les poux d'corps, c'est ben comme chez les hommes : y a des pas d'chance, des Cosette. Si elles sauraient qu'à vingt centimètres, elles trouvereraient d'quoi faire bombance, é s'flingu'raient.

Je déroule le moulinet de l'affaire.

Tout onguent mis à part, mes collaborateurs m'écoutent. La situation est assez juteuse pour les passionner.

— On croirerait un film policier, déclare Béru.

— Et un bon ! renchérit le Chétif.

Le Mastard devient professionnel :

— Faut discuter av'c not' collègue dont pendant la garde duquel les corps ont z'été embarqués !

— J'eusse aimé le faire, certifié-je, malheureusement, il a disparu.

— Qu'entends-tu par là ? me requiert de préciser l'hébergeur de poux de corps.

— Que lorsqu'il a été relevé, au boxif, il est parti, et qu'onc ne l'a revu, pas plus chez lui que sur son lieu de travail à la Maison Parapluie.

— C'est qui est-ce, ce mec, comme mec ? s'enquiert A.-B. B.

Je tire mon calepin noir aux pages jaunies par le temps.

— Officier de police Zirgon Ange, 32 ans, célibataire, demeurant chemin Kaskouye, à Meudon.

— Il crèche seulâbre ?

— Il a une chambre chez sa sœur et son beauf. C'est un O.P. bien noté, promis à un bel avenir, selon ses chefs. Quand son confrère Lanprendeux Achille est venu le relever, il s'était allongé sur trois chaises pour se reposer, avec son imper en guise de carouble. Il lui a fait faire le tour des lieux et s'est cassé en bâillant comme l'entrée du tunnel sous la Manche.

— Il lui a montré les deux corps ?

— Il y avait les scellés sur la lourde.

— C'est juste.

Bérurier lèche ses doigts, poisseux d'onguent, pour les nettoyer. Il a des réactions animales, le Gros ; de chien, surtout.

Il prend l'air soucieux et balance un vent lan-
goureux qui ressemble à une déclaration d'amour ;
de ces pets longue durée, animés d'un souffle
d'alizé, à travers lesquels on croit déceler comme
des plaintes de trépassés.

Libéré de ce ci-devant ballonnement, il émet
une hypothèse qui vaut son pesant de bon sens :

— Les deux cadavres, qui t'dit qu'c'est pendant la garde du premier bourreman qu'on les a
vacués ? Pourquoi ne s'rait-ce-t-il pas durant
celle du second ?

— Parce que le deuxième flic n'a pas disparu,
lui !

D'un acquiescement maussade, il admet mon
objection, la prend pour valable.

Sur ces entrefesses, la sonnette glapit dans le
silence médiocre de cette banlieue pour désespé-
rés qui s'ignorent.

— Ce doit être le commissaire Mordanrir,
murmuré-je. Va lui ouvrir, Gros.

Sa Majesté se dirige vers l'entrée, puis se
retourne soudain, comme se cabre un cheval
devant un numéro de *Tiercé Magazine*.

— Pourquoi est-ce-t-il toujours moive qu'est
l'larbin ? demande-t-il d'un ton abrupt.

— Je ne sais pas, dis-je ; je vais réfléchir à ta
question pendant que tu accueilles notre confrère.

Mordanrir semble aussi heureux que ce monsieur qui s'est gouré de train pour se rendre aux funérailles de son oncle et qui, de surcroît, a laissé sa femme sur le quai et perdu les billets. Son teint ordinairement couperosé a des pâleurs cadavériques.

— Je ne suis pas trop en retard ? demande-t-il. Je venais juste de me coucher enfin…

Reproche invoilé auquel répond le sourire désarmant du fameux San-Antonio.

— Cela se remarque, dis-je : tu as omis de fixer l'avant de tes bretelles qui te pendent au cul comme une queue bifide.

Il vérifie.

Constate.

Se ragrafe, de plus en plus maussade. Un homme privé de sommeil ne trouve plus le même attrait à l'existence. En ce moment, Mordanrir céderait son droit d'aînesse pour moins qu'un bol de lentilles. Il donnerait sa situation, sa gonzesse et la paire de couilles qui va avec contre douze heures d'une pioncette hermétique.

— Pardon de rogner sur un repos pourtant bien mérité, camarade, mais il me faut un supplément d'infos sur ton comportement au claque de la dame Mina.

— C'est-à-dire ? prudencise-t-il, tout de suite sur ses gardes.

— Tu me racontes tes faits et gestes au ralenti,

depuis ton entrée dans le bobinard jusqu'à ton départ. Rassure-toi, je ne te cherche pas de rognes, ami, mais j'ai besoin d'un rapport extrêmement poussé des événements. Tu arrives sur le paillasson monogrammé. Tu sonnes. Ensuite ? Va doucement, ne rate pas le moindre détail.

Le voilà tout à fait éveillé, Mordanrir. Affilé. Un pro, quoi ! Un authentique. Il ne se pose pas de questions, m'obéit, le petit doigt sur la couture de sa cervelle. En semi-hypnose.

— La Grosse m'ouvre en personne. Elle a sa gueule toute chavirée. Dans son couloir, j'avise un rouquemoute à lunettes allongé sur la banquette, l'air pas frais. Pas évanoui, mais peu s'en faut. Je crois que c'est à cause de lui que la grosse Mina m'a fait venir, mais je me goure. Elle me chope par le bras et me guide jusqu'à une chambre en psalmodiant « Affreux ! affreux ! ». La chambre pue le produit chimique. Sur la moquette, j'avise un homme et une femme inanimés. L'homme a le teint bistre, un fin collier de barbe ; la femme est troussée jusqu'à l'estomac et se tient recroquevillée. L'un et l'autre ont la gueule ouverte par l'asphyxie.

« La vieille boxonneuse me dit qu'il s'agit du prince Machinchouette, haut fonctionnaire international. Elle ne connaît pas la gonzesse, une pécore ramassée dans quelque bar des Champs-Zés, sans doute. Apprenant sa qualité de diplomate, j'alerte les gens d'en haut. Un quart d'heure s'écoule. Je l'emploie à tenter de converser avec le garde du corps.

« Seulement il est groggy. Tout ce qu'il articule, c'est "Secret défense". Je le fais évacuer à l'Hôtel-Dieu. Avant qu'on ne l'emporte, ceux "d'en haut" m'appellent. Consignes strictes : secret absolu. Fermer la pièce, y compris la fenêtre et les rideaux et ne toucher à rien jusqu'à ce que "quelqu'un" de spécial arrive. On embarque le garde du corps.

« Je chapitre la grosse vache ainsi que son cheptel en leur assurant que si elles ont la langue trop longue, elles pourront aller vendre d'autres moules que la leur. Quarante minutes plus tard, radine l'officier de police Ange Zirgon des R.G. Ma mission étant terminée, je regagne mon commissariat. »

Il se tait et gratte son sexe à travers l'étoffe du futiau. Son œil est couleur de bière froide. M'est avis qu'il couve une crise de foie, le Normand.

— Pourquoi as-tu passé une nuit blanche, amigo ? je lui questionne négligeusement.

— Une fête de famille, laconique-t-il.

— Un mariage ?

— Non, mon divorce. Des mois que nous l'attendions, mon ex-femme et moi.

— Vous prenez bien la chose, l'un et l'autre.

— Nous restons très amis, d'autant que je vais

refaire ma vie avec la femme de son amant. Nous étions donc quatre à arroser l'événement.

— L'existence est parfois harmonieuse, reconnais-je.

— Il suffit de n'en considérer que le bon côté, affirme Magloire.

— Tu sais qu'il y a une suite passionnante à l'affaire du bordel ?

— C'est-à-dire ?

Je lui narre ce qu'il ignore, mais que je ne te relaterai point à nouveau puisque tu le sais ; je suis gentil, hein ?

Alors là, les ultimes brumes du sommeil déguerpissent de ses méninges.

Il exorbite (de cheval, si ça peut encore te faire sourire).

— Que se serait-il passé ? s'inquiète-t-il.

— Des gens de l'extérieur sont venus récupérer les deux cadavres pendant la nuit.

— Et l'officier de police Zirgon ?

— Il a laissé faire. Ou alors si ce n'est lui, c'est son collègue Lanprendeux qui est venu le relever dans le courant de la nuit ; mais je ne crois pas. Zirgon a disparu, tandis que Lanprendeux, lui, est rentré à son domicile avec, semble-t-il, la satisfaction du devoir accompli.

— C'est rocambolesque ! déclare le brave Normand.

Je sens que, de retour chez lui, il va se transfu-
ser quelques centilitres de grand calva, histoire de
retrouver un peu de ses esprits malmenés.

— Encore besoin de moi ? balbutie-t-il.

— Pas pour l'instant. Retourne te coucher ; tu
vas voir comme la baise va être bonne, fatigué
comme tu l'es !

BEN OUI

C'est Toinet qui conduit la Rolls de Pinaud, mobilisée pour la circonstance. Je me tiens à son côté.

La Vieillasse et Béru savourent à l'arrière une bouteille de Beaumes de Venise (Domaine Coyeux) en visionnant un film porno sur le poste de télé incorporé à la banquette avant.

Nous n'en percevons que la bande son, le môme et moi, mais elle nous renseigne quant à la qualité du drame poignant auquel assistent les deux compères.

Il s'agit d'un film historique, voire hystérique, narrant les mésaventures d'une jeunette pendant les guerres napoléoniennes. Alors qu'elle gardait ses oies, une estafette autrichienne égarée se met en devoir de la forcer après lui avoir demandé son chemin. C'est dire que ce militaire barbare est doublement égaré puisqu'il la sodomise sans crier gare (il ne parle presque pas notre langue).

Grâce au ciel, un détachement de lanciers français arrive opinément, qui délivre la pauvre jouvencelle. Reconnaissance éperdue de ladite, ce qui allume les ardeurs des militaires de chez nous, lesquels, n'écoutant que leur braguette, se mettent à foutre la chère fille à qui mieux mieux, sans vergogne, mais avec des chibres gros commack !

Les protestations choquées de la « sauvée » se muent rapidement en gémissements pâmés. L'humble gardeuse de palmipèdes passe de l'innocence la plus obscure au dévergondage le plus effréné, se faisant mettre à tout-va, et par toutes les voies d'accès ; pompant sauvagement des chibres au diamètre plus considérable que les œufs de ses oies, s'activant avec une furia que ses modestes sabots ne laissaient pas prévoir, criant des choses stimulantes entre deux pompages de zobs, s'employant avec tant de fougue et de discernement que les valeureux soldats français, épuisés, sont faits prisonniers sans la moindre difficulté par un corps franc autrichien qui, composé de pédés, bien sûr, comme le sont tous les ennemis de la France, te vous sodomisent les lanciers de l'Empereur, le temps de les déculotter et de les faire s'agenouiller.

Heureusement, pour l'honneur et l'anus des

Français, survient un pèlerinage de nonnes en route pour Compostelle. Ces saintes filles, n'écoutant que leur héroïsme catholico-français, se jettent comme des hyènes sur les sodomites auxquels elles sectionnent les attributs à coups de serpettes (la serpette étant, après le chapelet, l'accessoire de défense de toutes les pèlerineuses en ce début de XIXe siècle).

Pour les récompenser de leur bravoure, les Français trouvent un regain de sexualité, et cette bande (le mot est irremplaçable) s'achève par une partouze qui glorifie l'armée et le clergé, ces deux piliers de la nation.

Juste qu'un berger voyeur écrit le mot « fin » sur l'écran, au moyen d'une abondante et impétueuse éjaculation, nous stoppons dans la cour de l'Hôtel-Dieu à laquelle ma brème policiarde nous a permis l'accès.

— Tu veux qu'on va aller av'c toive ? demande Béru d'un ton qui souhaite de toute évidence une réponse négative.

— Pas la peine.

— C'est bien ce dont j'pensais. Alors on va r'visionner c'putain d'film, biscotte y a d'dans certaines postures dont j'm'esplique pas ! Entre z'autres, celle où la supérieure parvient à éponger six gaziers n'en même temps. Ça peut servir.

Suivi de Toinet, je pars à la recherche du garde du corps de feu Karim Kanular.

D'entrée de jeu, l'enfant se présente mal car j'ignore son blase. Force m'est de fournir un luxe de détails pour tenter de mettre la main dessus. Personne ne paraissant au courant de son existence, je me mets à la recherche des ambulanciers qui sont allés le chercher au boxif de la mère Mina.

L'obstination étant toujours récompensée, je finis par les dénicher aux urgences où ils viennent d'amener une crise cardiaque en pleine béchamel.

C'est le gros Jérôme qui répond à mes questions. Sous sa blouse blanche, il porte un pull à col roulé qui sent la lamaserie tibétaine, un futiau de velours potelé et des baskets cradoches auxquelles ont adhéré de vieux pansements joncheurs.

L'urgence du bordel ? Tu penses qu'il se la rappelle. Un type rouquinant qui pédalait dans la mélasse ! En arrivant à l'Hôtel-Dieu, y avait presse, biscotte cette rame de métro qui venait de dérailler à la station Cité. Ils ont dû attendre. Ils sont descendus de l'ambulance, histoire de se dérouiller les cannes. Comme c'était le coup de feu, on les a réquisitionnés pour prêter main-forte. Leur assistance a duré une vingtaine de minutes. Quand ils sont revenus à leur ambulance, elle était vide : l'intoxiqué du claque avait joué rip. Ils l'ont cherché en vain. Le gardien de l'entrée s'est rap-

pelé l'avoir vu partir d'une démarche passable-
ment flageolante. Point à la ligne.

On lui dit merci et on retourne à la Rolls pinulcienne.

La Vieillasse s'est endormie devant les
prouesses chibreuses. Lui, la baise, c'est à dose
homéopathique. Une petite régalade, en passant,
avec, comme point d'orgue dans les bons jours,
une crampette d'honnête homme, sans excès de
vitesse pour ne pas risquer le tour de reins perfide.

Il tire en danseuse, César, à sa botte, les pognes
sur les poignées de freins. Fini l'héroïsme, c'est
plus de son âge. Il préfère se laisser mâcher dans
des postures languissantes. Pas le repos du guer-
rier, mais de la mise en disponibilité du tireur de
fond. On ne peut pas être et avoir tété.

Quant au Gros, c'est tout le contraire : il est
apoplectique et un filet de bave le transforme en
boxer à l'arrêt devant l'étal d'un rôtisseur. Il
déglutit avec peine et soupire :

— C'est pas pour me vanter, mais y a dans
c't'œuvre plein de belles gonzesses. Ent'
z'autres, une grande blonde qu'a des nichebabes
gros comme des oreillers. Si vous verreriez
comme elle aime la viande de mec ! Elle s'en
biche... Attendez qu' j'comptasse : un, deux,
trois, quat'... cinq ! Oui, cinq à la fois ! alors
qu'l'record à ma Berthe c'est quat'. Y a vraiment
des nières qu'sont douées. Tu croives, Tonio,

qu'en écrivant à la production, on pourrait
obtiendre l'adresse à c't' moukère ? J'aimerais
voir ce qu'é s'rait capab' de réaliser av'c un chi-
braque d'ma dimension. Ça la motiveverait, comprends-tu ? Je peux prêter à des exploits.

On le laisse à ses rêves bleus, pleins d'innocence et de pureté. Dans son genre, c'est un ange,
Alexandre-Benoît. Ses fantasmes embellissent la
vie. La sienne et celle des autres.

L'ambassade de Chyrie ? Tu peux pas te
gourer : elle est juste à gauche. Et en face, il y a
une rangée de platanes dont le crémier du coin
ramasse les feuilles pour envelopper certains
fromages.

C'est une construction en pierre de taille dont
les fenêtres sont munies de barreaux ouvragés
pour faire moins prison. Perron de six marches,
double porte vernie en clair. Le drapeau chyrien
est placé au-dessus de l'écusson ovale où figurent
les armes de ce prestigieux pays : un vautour
bicéphale tenant un rameau d'olivier dans son
bec gauche, un prépuce de roumi dans le droit, en
broyant de ses serres un serpent en forme de
caducée.

Je presse un timbre logé dans une plaque de cuivre hachée de petites ouvertures.

— Qui êtes-vous ? demande une voix féminine douce comme l'intérieur d'un préservatif après usage.

— Le directeur de la Police parisienne, mens-je-t-il plus ou moins.

— Pouvez-vous exciper de cette qualité ? demande la même voix qui a appris le français dans une école où s'enseigne l'art de devenir hôtesse d'accueil dans la diplomatie.

— Je peux le faire ! dis-je, parodiant un sketch de Pierre Dac et Francis Blanche que je pleure chaque fois que j'écoute des cons à la radio.

— En ce cas, placez une pièce d'attestation devant le petit écran de contrôle qui va apparaître.

Sur ces mots, un rectangle de la dimension d'une carte postale se révèle dans la plaque de cuivre.

Je cloque ma brème devant.

— Merci ! fait la voix féminine.

Et la porte s'ouvre avec un déclic de précision.

Je vois un sas vitré de verre dépoli. Y pénètre. La lourdoche se referme, me voici prisonnier de cette cage.

— Veuillez déposer l'arme que vous portez sous votre aisselle gauche dans la niche qui va apparaître, recommande la dame.

A peine dit, un volet de glace coulisse, découvrant une espèce de casier à droite du sas.

J'y place mon ami Tu-tues.

Le volet se referme et, enfin, la porte s'écarte pour me proposer le hall de l'ambassade.

CHOPE

Ça doit être élégant, pour un amateur de ce que j'appelle « l'art vermicelle ». Rougnougnou en diable. Bricolé. Ça tarabiscote tous azimuts. Poils de cul. La main de fatma dans la culotte d'un émir. Cédilles et virgules. Parfois, je me dis que s'il existe un purgatoire, il peut très bien ressembler à ça. D'où mon application à mériter le paradis pour l'atteindre sans escale.

Seule concession à l'art européen : un large bureau ministre en bois noir avec plein de téléphones dessus et une gonzesse derrière. Ladite est arabe, mais vêtue en élégante Parisienne. Rousse foncée, maquillage mauve et châssis cabriolet sport. Tu l'exposes au Salon de l'Auto, c'est illico l'attroupement. Son regard fauve a d'étranges reflets mordorés.

Face à elle se trouvent deux fauteuils. A chaque extrémité du hall, il y a un gorille basané dans un costar clair, une belle cravate peinte dénouée au cou et une hypertrophie à gauche de la poitrine, because un holster hébergeant un extincteur de vie auquel ne résisterait pas un éléphant.

Dès que j'ai franchi la porte, le sas se referme derrière moi avec le bruit glisseur d'un tiroir de morgue.

Aucun des trois personnages ne bronche, c'est à peine s'ils me regardent surviendre. Ils posent comme a priori qu'ils m'enculent moralement, physiquement, civilement, et sans les honneurs militaires.

Je me dirige donc vers la fille d'un pas que je voudrais assuré, mais qui doit comporter quelque raideur.

Parvenu devant son burlingue, je lui vote une œillade tellement langoureuse qu'un chanteur napolitain en ferait caca dans le trou de sa mandoline.

La donzelle reste impassible. Elle ne cille pas. Un pareil self-control n'est pas donné à tout le monde, crois-moi. Faut une sacrée énergie à une sœur pour ne pas broncher quand je lui décerne mon œillade enjôleuse *number one*.

Pour amorcer la converse, je lui représente ma brème professionnelle ; mais elle l'élude d'une mimique comme étant du déjà-vu.

— Je souhaiterais m'entretenir avec la personne la plus proche de Son Excellence l'ambassadeur, dis-je d'un ton que je pense impénétrable, mais qui l'impressionne autant qu'une hypersécrétion de sébum sur le nez de Léon Zitrone.

J'entends enfin la voix de ma terlocutrice :

— A quel propos ?

— A propos de Son Excellence, précisément.

Elle force l'intensité de son regard au risque de faire disjoncter mes lotos.

— Si vous souhaitez dire quelque chose de particulier concernant Son Excellence, c'est à elle-même qu'il faut parler.

— Je le souhaiterais ardemment, mais en son absence…

La femme me darde de plus en plus fortement, au point que ses prunelles de feu me font des cloques sur les pommettes.

Puis elle semble prendre une décision et décroche l'un de ses téléphones.

Une voix masculine lui répond. La voilà qui se met à jacter fissa mais sans véhémence. Elle ne me regarde plus, fixe les ongles également mauves de sa main gauche.

Elle use d'un parfum plutôt violent, la sœur, très oriental ; je me dis que si elle s'en met sur tout le corps, je me paierais une chouette crise d'éternuements en lui dégustant le trésor.

Le gusman auquel elle turlure doit lui dire d'attendre car elle cesse de parler tout en demeurant en ligne.

Au bout d'un moment assez long à mon gré,

une autre voix se manifeste. Elle lui répond avec déférence. C'est très bref.

Presque aussitôt, elle remet le combiné sur sa branche fourchue, adresse un signe à l'un des mastards de la sécurité. Le gorille développe un corps de basketteur noir américain et s'approche d'une démarche très souple pour son gabarit.

La secrétaire lui donne un ordre puis, à ma pomme :

— Son Excellence va vous recevoir. Je ne peux me retenir de demander :

— Quelle Excellence ?

Ma question paraît la déconcerter un tout petit poil de zob. Elle me flashe d'un air singulier :

— J'ai cru comprendre que vous vouliez parler à M. l'ambassadeur, non ?

— Heu, bien sûr.

— Eh bien, on va vous conduire à lui.

J'emboîte le pas au gorille. Je dois ressembler à un boxeur groggy sauvé par le gong.

Un ascenseur capitonné de soie comme un luxueux écrin me hisse au premier.

A l'instant où j'en sors, une saloperie de môme qui doit atteindre ses sept ans sans qu'ils lui apportent l'âge de raison, me braque le canon d'une mitraillette jouet dans les roustons en gueulant « Haut les mains ! » en arabe moderne.

Le choc est si violent que je manque en dégueuler dans les chiraz.

Je m'immobilise, me tenant la panoplie d'alcôve à deux mains. J'espère que mon mentor va morigéner le mouflet, mais je t'en fous : il demeure impassible et le môme Trouduc me porte un nouveau coup, dans le bide cette fois. Naturellement, mon premier réflexe est de beigner la gueule de l'effronté, mais je me rappelle in extremis que les fils de princes ont tous les droits et que, ce faisant, je créerais un incident diplomatique avec l'Etat chyrien. Alors, bon, je surmonte ma nausée, domine ma douleur, enveloppe ma colère dans de la ouate dont j'aimerais bien me servir pour m'emmitoufler les valseuses et adresse au garnement un bon sourire plein de reconnaissance.

Le garde m'entraîne dans le couloir tandis que Sa Petite Majesté de merde tente de me sodomiser à travers mon futal avec le canon de sa mitraillette. J'adore les enfants, mais je suis intimement persuadé qu'une fessée jusqu'au sang, saupoudrée de poivre, ne ferait pas de mal à celui-ci.

Une double porte moulurée et dorée. Mon guide y toque.

On lui répond d'entrer.

Il ouvre et s'efface. Le gosse me lâche les baskets pour filer un coup de crosse dans les chevilles du garde du corps. Bravo ! Je suis d'accord. Le mec ne réagit pas plus qu'à une chiure de mouche.

Je les oublie l'un et l'autre en formant des vœux inchantables pour que le petit con de prince se fasse assaisonner par l'esclave. A notre époque, rien ne justifie qu'on tolère un chiare mal élevé, fût-il prince, roi, empereur ou fils de pute.

Et maintenant, Santantonio, reprends ta narration sans te laisser distraire par d'humbles épisodes de la vie domestique.

Je me trouve dans une très vaste pièce qui, en définitive, doit être une chambre, si je m'en réfère à l'immense catafalque dressé sur un praticable tendu de velours vert.

Impressionnant.

Tu gravis trois marches et tu accèdes à un gigantesque lit bas mesurant au moins quatre mètres de large sur trois de long (si l'on peut s'exprimer de la sorte). Dans ce plumard hors série, quatre personnages qui le sont également : un homme et trois femmes.

Le mec n'est autre que le prince Kanular, ambassadeur de Chyrie, président de l'O.F.C.D.Q.R.S.F.

Il porte une robe de chambre en velours vert à parements rouges et brandebourgs d'or.

Les trois dames, et c'est là que le sidérant rejoint l'incroyable, sont des sœurs « trumelles » monozygotes dont la ressemblance est stupéfiante au point de te causer un malaise ! T'as beau les mater l'une après l'autre, bien posément, l'impression que tu en tires confine au vertige. Un mec blindé se croirait arrivé au stade qui prélimine les chauves-souris géantes et les énormes lézards verts du delirium tremens. Deux, c'est fascinant, à ce degré d'identisme, mais trois, ça fait peur ; tu te crois grevé d'un maléfice dont il sera coton de te débarrasser.

Bêtement, je souris à cette triple et même image.

Beau triptyque ! Les trois filles sont brunes, coiffées à la garçonne, et portent la même tunique largement échancrée et fendue du bas jusqu'au haut de la cuisse. L'échancrure du décolleté ne cache pas grand-chose des seins abondants, en forme de poire, dont l'entre-deux vertigineux te fait venir l'eau à la bite. Six yeux à l'iris couleur d'iris composent, semble-t-il, un seul regard en trois exemplaires. Sur les trois visages se reflète la même expression intéressée et un brin salace. Je reste pantois devant cette vision extraordinaire.

Mais j'ai le devoir pressant de m'expliquer.

— Je suis navré de vous importuner, Monseigneur, articulé-je comme un qui vient de mordre dans une pomme au caramel non encore refroidi. Des faits d'une grande importance m'obligent de troubler votre quiétude.

Le prince Kanular ne se départit pas.

— Quels sont-ils, monsieur le directeur ? demande-t-il, en glissant négligemment deux doigts de sa dextre dans la chatte d'une trumelle.

— Peut-être serait-il préférable que je vous en entretienne seul à seul ?

Il sourit au milieu de son collier de barbe. Il est très photogénique. Le teint mat, un regard d'onyx comme disent les cons qui croient faire de la littérature, les tempes un tantisoit grisonnantes, de longs cils recourbés, une bouche charnue de jouisseur inapaisable et surtout des dents carnassières d'un blanc un peu bleuté. On lit une espèce de moquerie spirituelle dans ses yeux brillants.

— Nous sommes pratiquement seuls, déclare le diplomate, ces donzelles ne comprenant pas le français ; vous pouvez parler en toute liberté.

Maintenant, c'est deux doigts de sa sinistre qu'il coule entre les lèvres sud d'une des filles. Moi, franchement, j'ai beau chercher, c'est la première fois que j'ai une conversation avec un type qui branle deux frangines en même temps. La vie est pleine d'imprévus qui aident à la supporter.

— Je viens, attaqué-je-t-il, malgré le trouble physique qui – et c'est naturel – m'empare à la vue de ce spectacle, au sujet de ce qui s'est passé hier après-midi, dans le petit club… particulier d'une certaine dame Mina non loin du théâtre

Hébertot. Vous voyez ce que je veux dire, Monseigneur ?

Sa Seigneurie opine :

— Je connais effectivement ce lieu, monsieur le directeur, ainsi que la charmante femme qui le gère. Seulement, je n'y ai pas mis les pieds depuis un bon mois.

A ce point crucial de l'action, j'ai la pensarde qui se met à faire des bulles et les deux chiffres déterminants de ma tension artérielle s'envolent vers des sommets.

— Monseigneur, bredouillé-je, étant déjà dans l'impossibilité de balbutier, vous affirmez ne point vous être rendu hier chez la dame Mina ?

— Comment l'aurais-je pu puisque je me trouvais à Bruxelles avec la Commission chargée d'étudier un plan de secours pour les victimes de la guerre en Bosnie ? Nous ne sommes rentrés de Belgique qu'à vingt-deux heures trente.

Il ajoute, mi-figue, mi-datte :

— Dois-je vous produire les noms des autres diplomates qui m'accompagnaient pour qu'ils confirment cette assertion ?

— Point n'est besoin, Monseigneur, bredouillé-je en français conflictuel.

Je balance un instant, de mon couillon droit sur mon couillon gauche, ainsi qu'il sied à un homme dans l'expectative. J'ai l'impression de m'être gouré d'histoire. Ça brique à braque sous ma

coiffe. Je devrais porter une perruque Grand
Siècle pour dissimuler mon désarroi.

Le prince, dont la ville est un derrick, m'ob-
serve de son regard persan (d'origine). Il retire sa
main polissonne et respire ses bouts de doigts
avec la préciosité des douairières du temps jadis
qui respiraient leurs flacons de sels pour se « vul-
nérairabiliser ».

— Monsieur le directeur, murmure-t-il, par-
donnez-moi, mais vous paraissez subir un grand
désarroi. Comme j'y suis de toute évidence asso-
cié, il serait bon que vous m'en fassiez part, peut-
être pourrais-je vous être de quelque utilité.

J'opine.

Ses trois grâces ne me lâchent pas des yeux. Je
te parierais une figue de Barbarie contre un orgue
du même nom, qu'elles m'ont déjà à la chouette,
et que si le prince Kanular proposait une petite
partie de trous en camarades, elles crieraient
« bravo ! ».

— Allons, cher directeur, fait la Majesté, ôtez
vos chaussures et venez vous installer en notre
compagnie ; il n'est de meilleur endroit qu'un lit
quand on veut résoudre un problème épineux.

Sans attendre qu'il réitère son invite, je me
déchausse en un tourne-pied, pose mon veston
que j'ai payé dix-sept mille francs à un couturier
membre de l'Institut et vais m'asseoir parmi ces
gens charmants, dans cette posture orientale que

nous appelons « en tailleur », nous autres humbles Occidentaux sans grande poésie.

— Ces belles jeunes femmes se nomment Shéhérazade, me présente le prince ; elles se ressemblent trop pour porter trois noms différents.

Il me plaît, ce mec. Il y a en lui un humour détonant qui force la sympathie.

— Dans mon pays, reprend-il, il est d'un usage fréquent qu'on roule un chapelet entre ses doigts pour aider à sa méditation ; moi je préfère malaxer un sein de femme. Si le cœur vous en dit...

— Je n'oserais me permettre, coassé-je avec mon air le plus batracien possible.

— Et quoi, mon cher directeur ! s'emporte le prince, croyez-vous un seul instant que je ne lis pas votre tempérament de feu sur votre personne tant affable ? Allons donc, mon cher, vous raffolez des femmes et elles vous le rendent bien. Depuis que vous êtes entré dans cette pièce, ces trois belles issues d'un même œuf ne se tiennent plus. Leur fumet a changé immédiatement.

« Vous autres, pauvres Occidentaux, ne vivez qu'avec le bout de votre nez et ignorez tout de l'odorat. Pour nous, Levantins, il est notre arme principale. Les individus se révèlent à nous par l'odeur. Nous détectons leurs qualités, leurs défauts, leurs intentions bonnes ou mauvaises grâce à la subtilité de notre sens olfactif. Nous

savons qui a peur et qui a du courage ; qui a des
intentions mauvaises et celui à qui on peut se
fier ; qui ment et qui parle vrai ; qui nous aime et
qui nous hait. L'odorat, mon cher, tout est là.

« Allons, détendez-vous. Profitez de ces
femelles si elles vous tentent et, tout en les pliant
à vos fantaisies, livrez-moi le gros tourment qui
vous fait exhaler cette senteur de terre labourée
avant l'orage. Je vous écoute. »

HUE !

Libertin, certes, mais sage, le prince. Son regard pénétrant me fouille comme si j'étais un sol riche en vestiges historiques.

— Puis-je vous demander ce que je sens présentement, Monseigneur ? lui demandé-je plaisamment.

Il sourit sous sa moustache brune, sans cesse imprégnée de jus de chatte. Me hume avec discrétion.

— Votre fumet est révélateur de deux sentiments sans rapport l'un avec l'autre, mon cher. Vous sentez d'une part le mâle performant dont ces trois donzelles portent le désir à l'incandescence, et vous sentez également l'homme aux prises avec un problème pour l'instant insoluble. Or, votre nature cartésienne regimbe contre ce qu'elle ne conçoit pas. Il vous faut donc vous débarrasser de ce qui vous tourmente pour, ensuite, assouvir la fringale amoureuse qui croît dans votre sang.

Sa grande sagesse a raison de ma retenue. Très calmement, en choisissant parfaitement mes mots, je lui relate les circonstances qui m'ont conduit au lupanar de la mère Mina. Je narre avec un sens du récit peu commun, l'arrivée du pseudo prince avec une pécore et un garde du corps, l'affaire de la bouteille de champagne truquée qui contenait un gaz mortel. Le temps qui s'écoule. L'inquiétude de la tenancière. L'intervention du gorille, à son tour incommodé. La venue du commissaire Mordanrir, lequel constate le double décès et prévient l'Intérieur. Les instructions qui lui sont données de ne toucher à rien. L'arrivée de l'O.P. Zirgon, lequel disparaîtra après avoir été relevé par son confrère Lanprendeux. Mon intervention enfin, sur les lieux où je découvre que les deux cadavres ont été enlevés et que le pseudo garde du corps s'est enfui de l'Hôtel-Dieu.

— Vous comprendrez, Monseigneur, qu'un policier, fût-il de haut niveau, reste perplexe en présence d'un tel mystère ?

Il réfléchit, ses deux médius enfoncés dans de merveilleux fourreaux, bien à l'abri d'éventuelles engelures. Ne répond rien, médite. On ne perçoit que la respiration un tantisoit haletante des deux femmes caressées. Ça me fait penser que je dois acheter de la brandade de morue, le régal de Féloche.

Machinalement, ma dextre se pose sur la

cuisse de la troisième partie de cette trinité ensorcelante. C'est tiède, c'est lisse, et il s'en dégage une formidable électricité pas si statique qu'on le pourrait croire. J'ai l'ami Popaul qui se transforme dard-dard en perchoir à perroquet. D'autant que, le prince a raison : les trois filles sentent le désir comme le cul de ta femme quand tu pars en voyage et que le temps va changer.

Karim Kanular parle enfin.

— Cher monsieur, fait-il, me permettez-vous d'envoyer chercher dame Mina, la gentille bordelière ? Il serait intéressant que vous l'interrogiez en ma présence, il me semble ?

— Très bien vu, Excellence, approuvé-je. J'ai des hommes à moi, dans la rue ; je vais leur dire de l'amener ici, puisque vous me le proposez si aimablement.

Toinet fait le pied de grue devant l'ambassade. Je le hèle et lui demande d'aller quérir la taulière.

— Tu as des indices concernant l'ambassadeur ? demande-t-il.

— Plus fort que ça, réponds-je : j'ai l'ambassadeur en personne…

Il débonde des coquilles.

— Comment ça, p'pa ?

— Nous sommes encore loin des explications auxquelles tout lecteur a droit, soupiré-je. Fais ce que je te dis dans les meilleurs délais, mon grand garçon, et tu en seras récompensé.

Là-dessus, je retourne à l'alcôve princière où, au cours de ma brève absence, les choses ont évolué, en ce sens que Monseigneur l'Excellence est en train de se faire turluter le Nestor par ses trois sublimes, alternativement. Je sursaute en constatant qu'il est chibré comme un lutteur turc. C'est pas le zigomar de Béru, mais pas loin s'en faut.

Les sœurs Karamazov l'ont entrepris en grand. L'une d'elles lui polit le casque de Néron, une autre s'occupe de ses sombres aumônières, lesquelles paraissent dures comme des noix de coco, tandis que la troisième lui énuclée l'œil-de-bronze de son pouce.

Les trois grâces (l'anagramme est valable aussi) œuvrent en esprit d'équipe : coordination des gestes, précision de la thérapie, onomatopées soigneusement étudiées. La technique est brillante, les initiatives judicieuses, les gestes harmonieux et dénués de fioritures. On comprend toute l'efficacité d'une pratique, sans cesse révisée. Au travail rigoureux s'ajoute une inspiration rare, celle-là même qu'engendre la véritable sensualité toujours remise en question.

Une troïka aussi perfectionnée provoque l'admiration. La mienne est totale. Je me dis qu'il conviendrait de filmer l'opération, non à des fins salaces, mais afin de révéler l'importance d'une forte expérience à celles (et à ceux) pour qui l'amour physique est un apostolat.

Je reste là, assis en biais au pied de la vaste couche, fabuleux terrain de manœuvres où s'accomplit l'exploit. Impressionné par un tel savoir-faire auquel se mêlent les richesses d'initiatives toujours renouvelées.

Au milieu de ce foisonnement « luxuriant », le prince-diplomate m'aperçoit et retrouve ses soucis d'hôte.

— Venez, venez, mon cher ! lance-t-il avec son affabilité coutumière. Vous avez votre place dans ce tableau vivant.

Tu résisterais à pareille invite, toi ?

Pour mézigo, c'est impossible. Tournemain, je suis dépiauté et la tête chercheuse de l'Antonio se met en quête d'un terrier.

N'a plus son libre « arbite » (ou arbi). Pas le temps de demander mon chemin. C'est kif un essaim de frelons qui s'abattrait sur moi. Je suis agrippé, happé, pompé, ventousé. J'ai le bas-ventre léché, les roustons mordillés, le filet stimulé aux battements de cils, l'oigne onguenté, la bouche lubrifiée à la chatte survoltée ; toutes mes zones érogènes sont prises à partie, voire simplement en considération. On m'inflige un bonheur physique si éperdu qu'il en est douloureux.

Et tu voudrais que j'entre dans les ordres, toi ?

L'autre nuit, j'ai fait un rêve prémonitoire.

J'ai rêvé que j'étais déclaré hors la loi et que mes bouquins étaient mis au pilori. On perquisitionnait chez les gens, au hasard, et quand on trouvait un Sana chez eux, on les passait par les armes. Lorsqu'un stock de mes zœuvres était découvert dans quelque dépôt de distribution, on procédait à un autodafé et l'on brûlait le gérant du dépôt en question en même temps que mes inoubliables bouquins.

Moi, j'étais claquemuré en une confidentielle mansarde par le vasistas (ou tabatière) duquel je contemplais le brasier en tentant vainement de chiffrer les droits d'auteur perdus. Je pensais, philosophiquement, que voir détruire son œuvre par un Etat totalitaire constituait un privilège bien plus grand que d'entrer à l'Académie française, puisqu'on la juge assez importante pour l'anéantir, au lieu de la glorifier sottement et vainement par des pompes à merde chamarrées et séniles.

Des discours, bien sûr, accompagnaient cette destruction, aussi cons et verbeux que ceux qui sont ânonnés sous la Coupole, car dès qu'il parle et quoi qu'il dise, l'homme n'ouvre sa gueule que pour en laisser sortir des turpitudes.

Mon réveil ne m'apporta pas de soulagement, comme c'est le cas à l'issue d'un cauchemar, plutôt d'obscurs regrets, car il ne me déplairait pas de souffrir pour une chose qui m'aura donné tant de joies, d'argent et de déconsidération. Que mon œuvre soit un peu mongolienne sur les bords renforce la tendresse que je ressens pour elle ; aussi trouvé-je équitable de partager l'opprobre qu'elle soulève de-ci, de-là, et tout principalement chez les cons pincés.

Si je fais allusion à mon rêve, au moment où des trumelles en rut sollicitent à fond mes glandes pour extirper de moi quelques centilitres d'une sève surchoix, c'est parce que je le trouve tout à coup riche de sens et dérisoire. Je suis embarqué dans des tribulations charnelles si intenses qu'elles rendent inintéressant ce qui ne concerne pas ma bite. Dans quelques instants, un spasme libérateur remettra tout en ordre et ma vie retrouvera les hiérarchies qui la gèrent, mais en cet instant hors du temps, tout se trouve aboli et nié. Cette explosion qui est déjà constituée dans mes bourses et que je parviens encore à contenir ou plutôt à différer, représente le réel mystère de ma vie. Seulement je vais la libérer et, une fois la secousse tellurique (ou tellurienne) passée, je vais redevenir gros jean, ou gros con, comme devant.

Les trois acharnées, sentant ma petite mort prochaine, se battent, ou presque, pour recueillir mon offrande à la terre. Mon braque est assailli par trois mêmes bouches affamées qui font penser aux oisillons de la pub Esso. Que la meilleure gagne !

Je ferme les yeux et m'envole vers l'extase.

Le guignol qui cogne à 150, des lancineries de feu derrière ma tronche, je reste inerte tandis que les trois ineffables me finissent bien à fond.

Je perçois une sonnerie. La voix du diplomate, brève et incisive, dit une seule syllabe.

Je rouvre les yeux. Ces dames me contemplent en souriant, émues. L'une d'elles murmure je ne sais quoi au prince, lequel, pendant mes péripéties copulatoires, s'est tenu en réserve de la République (voire de son sultanat).

Nos regards se rencontrant, il traduit :

— Il paraît que vous êtes d'une abondance exceptionnelle, monsieur le directeur.

— Un tel festin le méritait, réponds-je avec une grâce très XVIIe siècle.

Là-dessus, comme dit La Fontaine dans « Le loup et l'agneau », on toque à la lourde. Kanular balance une onomatopée. La porte s'ouvre. Le malabar qui, naguère m'a convoyé, amène cette fois la brave mère Mina, *very nice* dans un manteau de léopard et coiffée d'une toque taillée dans le même bestiau ou dans la peau de son cousin germain.

Mémère est vachetement impressionnée par le lieu. La première fois qu'elle amène son gros cul dans les appartes d'une ambassade. Elle a un sourire contrit qu'elle offre à la ronde, et qui se fait chaleureux en se posant sur moi.

Puis sa tête se tourne davantage à droite et elle découvre le prince. Alors un changement s'opère en elle. Elle émet une espèce d'éternuement de chaisière pendant la grand-messe ; et puis, poum ! descendez on vous demande, comme on dit puis à Bourgoin-Jallieu, la ville où sont conçus les êtres d'exception. La voilà qui choit sur le tapis persan provenant d'un marché du même nom. Elle gigote des cannes, ses jambons apparaissent sous les nippes troussées. Mémère porte des bas (que le Seigneur la récompense, cette chère bordelière, pour respecter les traditions orales et anales de son noble métier). Juvénile, elle a un délicat slip bleu d'enfant de Marie, des jarretelles semées de myosotis brodés.

Chose inattendue, personne ne bronche. Non-assistance à personne dans le potage, c'est un délit. Pourtant c'est vrai qu'on n'a pas envie de lui porter secours. Son côté grotesque, je suppose ? On ne secourt que les gens qui émeuvent. La Mina est trop ridicule, affalée de la sorte, avec son bada de traviole, son sac à main en imitation croco, la chandelle qui lui dégouline du tarbouif pour aller brouiller son rouge à lèvres cyclamen. On est là, nous cinq, qui attendons avec une confiance indifférente son retour à la réalité.

Un brin de moment passe. La vachasse soupire comme la chaudière du chauffage central quand t'en ouvres la porte du haut. Ses grands yeux de matrone réapparaissent, d'abord embués d'inconscience, puis recyclés sur les réalités. Elle émet un nouveau cri, plus chétif, parce que déjà contrôlé.

M'avisant, elle murmure en se mettant de biais pour ne pas voir le diplomate :

— Dites, c'est pas lui, hein ?

— Vous croyez ? réponds-je-t-il.

La mère Mina reprend, et, cette fois-ci, en osant cadrer le prince carrément :

— Alors, il n'est pas mort ?

— Il semble que non, ma chère amie.

Elle opine doucement, sa morve incontrôlée choit sur son manteau de fourrure. Elle balbutie :

— C'est bien vous, Monseigneur ?

— Tout à fait, laisse tomber Sa Princerie, guillerette.

— Un simple malaise, alors ? insiste la très cartésienne bordelière, l'un n'empêchant pas l'autre.

Karim Kanular saute du lit, serre la ceinture de son opulente robe de chambre de roi mage qui serait descendu au *Hilton* de Jérusalem et va chercher une cigarette à bout doré dans un coffret de jade.

Il l'allume à l'aide d'un briquet d'argent enrichi de chprountz.

— Ma chère madame, attaque-t-il à voix de miel, il serait grand temps de parler net. Je n'ai pas mis les pieds hier dans votre honorable maison. Le nombre de gens qui peuvent l'attester est si important que M. le directeur ici présent devrait détacher une escouade de policiers pour enregistrer tous les témoignages certifiant la chose.

La Mina, tu la verrais, t'aurais pitié. Son cerveau fait le caramel. Mou.

Les émotions lui provoquent de l'incontinence car elle se met à faire pipi sur le chiraz pure soie, commak, sans parvenir à se retenir. Comme quoi elle doit bien compter davantage de carats qu'il n'y paraît, la mère, pour se relâcher de la sorte.

Elle bredouille, tout en lancequinant de première :

— Je m'escuse, Monseigneur, c'est l'émotion,

ça me tient depuis toute petite quand j'ai une grosse impression. Tenez, quand j'ai admiré Gérard Barray dans *Surcouf*, j'ai inondé le cinéma, mon mari a dû se battre avec le directeur de la salle qui réclamait des dommages et intérêts. Qu'à la fin, les choses s'envenimant, Jo lui a planté son lingue dans le baquet, écopant de la sorte dix piges aux durs ; ce qui m'a induite à me maquer avec Freddy-Belles-Quenottes qui m'avait à la chouette depuis lurette et qu'attendait son heure.

« C'est avec Freddy que j'ai ouvert mon premier boxif, près de l'église de la Trinité : un rez-de-chaussée de trois pièces au fond de la cour. Je m'expliquais avec la maman de mon homme : Ginette, une Auverpiote qui vous pompait dix hommes à l'heure à soixante carats et mèche ! Je l'ai même vue, si je vous disais, Monseigneur, faire deux pipes en même temps ; chacun des messieurs avait sa queue dans un coin de sa bouche. Une virtuose qu'on retrouvera jamais. Elle s'est fait écraser par le R.E.R. sur la ligne Nation-Boissy-St-Léger. Une femme très bien... »

Elle se met à chialer à gros bouillons. Comme je doute que ça soit l'évocation du décès tragique de sa belle-mère putative qui provoque ce chagrin, force m'est de craindre pour son équilibre mental.

Mets-toi à sa place : hier, elle assiste au décès suspect du prince Kanular dans son boxon et, aujourd'hui, ce dernier la reçoit en son ambassade, vautré avec des frangines lascives ; ça fait vraiment trop pour une personne sortie du bas peuple et qui s'est élevée dans l'échelle sociale à la force du poignet. Elle craque de partout, la mère : du vocabulaire, du cervelet, des bonnes manières. Une Berezina généralisée, la pauvre marchande de culs ! *Too much*, c'est trop !

Le diplomate remet l'aiguille du gramophone dans le bon sillon :

— Ainsi, ma chère dame, vous affirmez que je me trouvais dans votre établissement hier après-midi ?

Elle cesse de Pornichet, renifle vingt-cinq centimètres de morve que les Prussiens n'auront pas et éclatouffe avec une conviction si profonde qu'il conviendrait d'installer une barrière de protection tout autour, de crainte qu'un enfant, un myope ou un vieux con tombe dedans :

— Mais bien sûr que vous y fussiez, Votre Eminence. Même que vous y êtes décédé !

— Comme vous pouvez le constater, raille Kanular en glissant quatre doigts de sa dextre dans la chaglatte d'une des jumelles plus une.

— Excellence, l'interpellé-je, en sortant mon membre de la bouche d'une des sœurs Lapipe qui vient déjà de le récupérer pour tenter une réanimation (sans doute) prématurée, Excellence, pourrais-je vous entretenir en particulier ?

— Naturellement, fait le diplomate.

Il retire sa dextre de la moufle calorifugée où il l'avait introduite et m'entraîne dans un petit boudoir attenant à la chambre des hautes manigances voluptuaires. Je réalise alors que je suis nu comme un œil (les vers me dégoûtent) et je pense que ce fait constitue une grande première : c'est la *first* fois de ma garcerie de carrière que j'interroge un prince en étant à poil devant lui. Mais cette tenue sommaire ne semble pas désobliger mon hôte.

— Voyez-vous, attaqué-je en carrant mon zob sous ma jambe croisée afin d'éviter d'éventuelles tentations qui seraient contre nature, nous sommes en présence d'un mystère que vous seule, Excellence, pouvez nous permettre d'élucider. Si cette vieille maquerelle, qui vous connaît depuis un certain temps déjà, affirme que vous étiez chez elle hier après-midi, alors que vous vous trouviez à Bruxelles en compagnie d'autres diplomates, c'est qu'elle a été abusée par quelqu'un dont la ressemblance avec vous est ahurissante. D'où ma question : existe-t-il, à votre connaissance, un être qu'on puisse confondre avec vous ?

Il caresse son collier de barbe noire qui semble être en poils de cul, tant il est sombre et frisé.

— Personne, mon ami, personne. Mon père, le prince Karamel, contrairement à la tradition, n'a eu que trois enfants : moi et deux filles beaucoup plus jeunes et très… colorées, leur mère étant franchement noire. Certes, je possède nombre de cousins, mais pas un seul d'entre eux ne pourrait se faire passer pour moi car ils sont plus courts de vingt bons centimètres. Le mystère génétique : notre grand-père ne mesurait qu'un mètre cinquante-cinq et mon oncle Kléranbâr, leur géniteur, guère plus.

Je médite un instant. Le mystère est là intact, entier, oppressant.

— Hier, reprends-je d'une voix de médium, un homme ayant votre apparence s'est fait accepter comme étant vous en un lieu où vous êtes connu. On l'y a tué et, par la suite, on a évacué son cadavre et celui de la femme qui l'escortait. Autre chose, Monseigneur : existe-t-il dans votre entourage un garde du corps (ou assimilé) d'une trentaine d'années et qui soit rouquin ?

— Rigoureusement pas ! assure le prince. Je ne fais appel qu'à la main-d'œuvre de mon pays, qu'il s'agisse d'hommes ou de femmes.

C'est quoi, la « Marseillaise » de la Chyrie ? Si je la connaissais, je pourrais la lui siffler après des paroles aussi senties.

— Vous voulez bien me fournir une photographie de vous très proche du modèle, Excellence ? Rassurez-vous, ce n'est pas pour la distribuer aux médias.

— Je n'aime pas beaucoup ça ! rebuffe le prince Kanular en faisant, avec le bout des lèvres, la grimace que fait, en déféquant, un constipé à l'aide de son anus.

Sourire angélique du divin San-A.

— Monseigneur, objecté-je gentiment pour mon âge, vous savez bien qu'il me suffirait d'aller à la première rédaction venue, de n'importe quel quotidien, pour avoir le choix entre mille de vos portraits. Si je vous en demande un à vous, c'est parce que j'aimerais qu'il soit bon, c'est-à-dire très ressemblant.

Vaincu par l'argument, il décroche le biniou et répercute ma demande dans une langue qui lui est chère : la sienne.

STOP

Mamie Mina se tient sagement entre Pinuche et Béru, à l'arrière de la Rosse-Rosse (comme l'appelle le Mastard). Elle a un chouïe récupéré, mais ça n'est pas encore ça. Son regard d'âme en peine, d'une couleur fluo, n'a ni l'ironie de celui d'Einstein, ni le génie fou de celui de Dali. On dirait deux raisins à l'eau-de-vie qu'on a laissés macérer trop longtemps.

Béru lui fourrage le sous-robe, mais c'est le type de privautés qui passent inaperçues d'une personne au fondement défoncé par plusieurs générations de gus dont les sexes allaient du modèle sapajou au gabarit cheval de labour du Perche. La mère, tu lui enquillerais un pilon d'unijambiste, type guerre de 14-18, dans le fion, elle croirait qu'on prend sa température !

Parfois, émergeant de sa trouble rêverie, elle s'adresse à ma pomme, comme le condamné à mort s'adressait au Seigneur quand on venait Lui

annoncer que le président de la République avait
fait une cocotte en papier avec sa grâce.

— C'était pourtant lui ! assure-t-elle. C'était
bien lui, hier ! Il avait même jusqu'à ce grain de
beauté que M'sieur Kanular porte sous l'oreille.
Vous l'aurez remarqué ? C'est moins gros qu'une
pièce de cinquante centimes et, juste dessous, y
en a un autre minuscule. Eh bien tout à l'heure,
pendant que M. l'Excellence me parlait, je regardais ses deux petites taches. Puisque vous empor-
tez sa photo, cherchez-les, vous les trouverez !

Je mate le portrait : exact, elles y sont.

Seulement se trouvaient-elles vraiment sur le
cou de l'homme asphyxié hier, chez la brave
mactée ?

Je lui pose la question.

Elle ne prend pas le temps de réfléchir.

— Et comment qu'elles y étaient ! La mort
l'avait rendu plus que pâle : carrément blanc ; ses
grains de beauté se détachaient comme des
grosses mouches à merde sur du lait.

Elle se met à bavocher ses craintes, à dire
comme quoi elle est une brave femme à l'existence irréprochable qui ne mérite pas des avanies
de ce calibre. Elle ne demande rien à personne,
elle gagne son pain à la sueur des fesses de ses
pensionnaires, lesquelles se jetteraient au feu
pour elle. Elle se comporte comme une mère
avec ses gentilles demoiselles : leur faisant des

infusions d'armoise lorsqu'elles ont mal au ventre et les envoyant AU docteur pour des contrôles attentifs, tout ça… Réglo, réglo.

Même quand elle était simple gagneuse et qu'elle s'expliquait près de Saint-Lago, elle se conduisait en parfaite citoyenne avec les Mœurs. Si le commissaire Blandeuil vit toujours, il peut l'attester : le nombre de mecs en cavale qu'elle lui a balancés en loucedé, t'aurais de quoi remplir Fresnes avec !

Pain de cul, c'est vrai, mais honnête. Moralité et tout. Si elle nous disait qu'elle a élevé la fille de sa sœur morte de leucémie peu après ses couches. Elle en a fait une fille bien, maintenant mariée à un expert-comptable et mère d'une fillette qui a fait sa première communion l'année dernière.

Elle s'apprête à céder son lupanar à l'une de ses pensionnaires : Sandra, la fille d'un marchand de vaisselle de Nantes qui lui consentirait une avance sur héritage pour s'établir. Ensuite, elle retournera dans son village natal où elle a fait rebecter la maison familiale. Son rêve serait d'y devenir conseillère municipale. Mais cette sinistre affaire… Qu'en pensé-je-t-il ? Rien encore ?

Dites, je ne la soupçonne pas, non plus que ses gentilles demoiselles, d'être pour quoi que ce soit dans cette histoire insensée ? Non ? Ah ! bon, merci, je lui baume le cœur, Mina. Elle a senti, au premier regard, que j'étais un monsieur bien ; pas un de ces flics qui aboient pour terroriser tout le monde, mais un poulet humain qui réfléchit, comprend les êtres, compatit à leurs problèmes.

Pendant qu'elle geint, je gamberge. Me dis que nous sommes en train de foncer contre un mur. On se heurte à de l'étrange, on se prend les pinceaux dans le bizarre.

Derrière, Pinaud s'est endormi dans sa Rolls dodue comme le fion de la reine Queen. Béru a renoncé à émoustiller la vioque et feule en sourdine. Mon Toinet drive le carrosse avec une parfaite maîtrise. Il ne parle pas.

— Sais-tu quand M. Blanc rentre du Sénégal ?

— Demain, je crois.

Il hésite, puis risque :

— Pourquoi ?

— Comme ça…

— Il te manque ?

— Tous les gens que j'aime me manquent lorsqu'ils sont loin de moi.

Il lâche le guidon de la Rolls pour poser sa main sur mon genou. Il murmure :

— P'pa !

C'est vrai qu'il est mon môme. Qu'importe qu'il soit sorti d'autres testicules, c'est nous qui l'avons élevé, Féloche et moi. Drôles de parents. Des esprits chagrins vont encore parler de sentiments incestueux au second degré. Les cons ! Alors que c'est si simple, si spontané, si pur.

— Pendant que nous serons chez la mamie Pinodrome, prends un taxi et va au labo. Tu demanderas à Mathias ce qu'il pense de la bouteille de champ truquée que Mordanvir lui a fait tenir, ainsi que des deux autres trouvées dans le réfrigérateur du boxif.

— Dac, pap'.

— Ensuite, tu passeras au ministère de l'Intérieur, tu rencontreras M. Hilaire Dunquon, le secrétaire particulier du ministre, et tu essaieras d'apprendre des choses sur l'officier de police Ange Zirgon, détaché au ministère, ainsi que sur son collègue Achille Lanprendeux.

— Ce sont les deux perdreaux qui sont venus au bordel de la grosse ?

— Exact, *Baby*. C'est surtout le premier qui m'intéresse puisqu'il a disparu. Tu iras faire un tour à Meudon, chemin Kaskouye.

— O.K., papa. Tu ne sais pas si la terre est argileuse dans sa banlieue ?

— Pourquoi ? demandé-je étourdiment car c'est moi qui lui ai appris la blague.

Cela dit, ça lui fait tellement plaisir de me la servir à son tour.

— Parce que j'aurais pu faire des briques à mes moments perdus.

Je me marre : il l'a bien mérité.

— Si ça te fait trop de boulot, on peut confier Meudon à La Pine ?

— Penses-tu, c'est du velours. Et quand j'aurai fini, je passerai t'acheter des caillettes de l'Ardèche chez le charcutier de Vaugirard qui t'approvisionne.

Ces gentilles demoiselles viennent tout juste d'arriver au claquemuche de la mère Mina. Elles ne ressemblent pas à des marchandes de caresses, mais plutôt à des vendeuses de magasin chic. Je les situerais dans la chaussure de luxe ou l'immobilier. Elles portent des harnais de classe, ont des maquillages « étudiés » et s'expriment avec retenue, sans trop amocher nos vaillants plus-que-parfaits-du-subjonctif que seul M. Jean Dutour de l'Académie française parvient à maîtriser complètement sans se blesser.

Ainsi, fais-je la connaissance de Sandra, l'hypothétique successeuse de Madame.

Grande fille longiligne, brune, et qui ne doit pas rechigner quand un client réclame une exhibition entre dames. L'air intelligent, presque intello, avec un œil qui fait trépigner les bites dans les braguettes.

Elle est flanquée de deux « collègues », bien mises et de bonne tenue également, mais beaucoup moins « classe ». Il y a Mady et Pervenche. L'une « faisait » infirmière à ses débuts, l'autre était secrétaire chez un mandataire aux halles qui, non seulement la baisait, mais la proposait à ses copains, clients, collègues et connaissances, si bien que la pauvrette n'arrêtait plus de sucer des pafs ou d'en prendre plein la giberne. Certains de ces messieurs avaient le bon goût de lui glisser un billet dans le soutif et c'est cette aimable pratique qui orienta Pervenche vers une exploitation plus rationnelle de ses charmes. Le destin emprunte parfois des routes méandreuses pour nous conduire là où doit s'accomplir le plus riche de notre destinée.

Lorsque je montre la photo du prince-diplomate aux butineuses de braguettes, elles certifient sur l'honneur qu'il est bien le personnage venu mourir sur leur lieu de travail.

Quand j'émets l'hypothèse d'une ressemblance « stupéfiante » (tout est possible), les pécores se récrient avec vigueur que, pas du tout ! Toutes trois connaissaient bien l'Excellence pour s'être fait brouter par elle, lui avoir léché les testicules et sucé le pénis de nombreuses fois. C'est l'ambassadeur qui était ici la veille, lui, bien lui, archi-lui et personne d'autre ! Point à la ligne et d'exclamation ! Voire carrément fin.

Devant cet unisson et cette certitude collective, je n'insiste pas.

— Mes chéries, déclaré-je avec une gravité qui force l'attention, nous allons maintenant procéder à une évocation d'ensemble de vos faits et gestes à toutes et à tous, car vous aviez des habitués, pendant le temps qui s'est écoulé entre le moment où le prince s'est enfermé dans la chambre et celui où l'on a forcé sa porte pour le découvrir mort avec la femme qui l'accompagnait.

Mon ton empreint de solennité les subjugue. La môme Mady chuchote à sa copine Pervenche :

— Il m'excite, ce type. J'aimerais lui lécher les doigts de pieds tout en me caressant.

Je feins de ne pas entendre, l'heure n'étant plus au marivaudage.

— Combien de clients se trouvaient ici pendant le séjour du prince dans la chambre ?

— Deux, répond Sandra (la peut-être future directrice de cet établissement d'intérêt public).

Mes questions sont de pure forme car je connais la réponse.

Je sors le papier qui me fut remis et où se trouvent les identités des deux messieurs concernés.

— Louis Lelardon, entrepreneur de pompes funèbres, lis-je, et Hubert Flageole de l'Académie française, à qui on doit « La Fin des Couilles Molles » ou « Le Cycle de l'Azote », fresque romanesque en douze volumes.

— Si fait, laisse tomber la maquerelle qui, de

retour dans son univers, a récupéré toutes ses facultés.

Où ces messieurs se trouvaient-ils pendant que vous receviez l'ambassadeur ?

C'est la grande Sandra qui répond :

— Le père Lelardon attendait dans le salon bleu en feuilletant des revues danoises et le Maître accomplissait ses « préliminaires ».

— Qu'appelez-vous ainsi, douce amie ?

— Eh bien, il arrivait toujours avec ses œuvres complètes dans un réticule de moire ayant appartenu à sa grand-mère. L'académicien se déshabillait, disposait ses œuvres sur le plancher, puis il s'agenouillait devant elles et se masturbait, sans toutefois aller jusqu'à l'éjaculation. Il s'agissait d'une mise en condition. Lorsqu'il se sentait opérationnel, il m'appelait et j'avais l'obligation de lire un texte de lui pendant qu'il m'entreprenait. L'un de ses poèmes l'excitait particulièrement : celui qui s'intitulait « Les tubéreuses scatophages ».

La belle se met à réciter comme le ferait une pensionnaire du Français :

— « Tu sombres et m'uses

« Tu Sambre et Meuse

« Epiphanie silencieuse des rois dénoyautés. »

— C'est en effet très beau, conviens-je. Je comprends que de tels vers le conduisent à l'orgasme, voire à l'Académie.

— Ils possédaient sur lui un pouvoir explosif, assure Sandra, Le Maître qui se montrait jaloux de sa semence, m'abandonnait brutalement à l'instant de l'éjaculation, et je puis vous montrer au plafond des traces de sa pression. Il a même joui un jour sur une photo représentant le père de Madame habillé en spahi. On ne s'en est pas aperçu tout de suite, hélas. La photo n'ayant pas de verre protecteur et le sperme de l'académicien se montrant corrosif, le valeureux spahi a perdu la moitié du visage dans l'aventure, ce qui est dommage car il était beau garçon.

Elle a le sens de la narration, cette aimable péripatéticienne. Je la vois très bien remplacer Madame et tenir compagnie à ses clients huppés les jours de presse.

— Donc, l'Illustre a tiré sa crampe ? résumé-je.

— Avec brio, dit-elle. Pour un septuagénaire, c'est plutôt rare et mérite une mention spéciale.

— Et ensuite, délicieuse amie ?

— Eh bien, il s'est rhabillé après une brève toilette, a remballé son œuvre et il est parti.

— Vous l'avez raccompagné ?

— Pas Sandra, coupe la mactée : ces demoiselles prennent congé en chambre, c'est moi qui reconduis les clients à la porte.

— Tout était calme ?

— Et silencieux. Le garde du corps rouquin lisait dans l'antichambre.

— Vous l'aviez déjà vu escorter le prince chez vous ?

— Non. Il venait ici pour la première fois.

— Passons maintenant à l'autre habitué, M. Lelardon. Laquelle de vous deux, fais-je en me tournant vers les compagnes de la superbe Sandra, a assumé les passions de ce digne homme ?

— Nous deux ensemble, révèle la dénommée Mady.

— Monsieur avait de l'appétit ?

— Au contraire, il lui fallait du ciné, explique Pervenche. Nous mettions des dessous de grand-mère, ma copine et moi, vous voyez le genre ? Pantalons bouffants, fendus et noués au-dessus des genoux, bas à jarretières, corsets lacés. Il était pour le style 1900, Loulou. Un nostalgique du french cancan. On lui donnait la fessée pour nous avoir regardées et il pleurait comme un gosse en demandant pardon. C'était ça, son cinoche : le panpan-cucul ! Il se tapait un poireau pendant qu'on le rossait, sans sortir son panais de son futal. Je ne sais même pas s'il allait au bout de son propos, peut-être qu'il n'envoyait même pas la purée. On avait compris qu'il réglait ses comptes avec son enfance. La manière qu'il nous demandait pardon en nous appelant Rosy et Malvina. Chacun vient ici avec des problèmes qu'il essaie de gérer au mieux de ses fantasmes.

— Vos clients devraient être remboursés par la Sécu, fais-je.

— Vous plaisantez, mais il y a du vrai dans ce que vous dites, assure gravement Mady. Beaucoup de toubibs sont moins efficaces que nous.

— Qu'a fait ce brave bonhomme, son cinoche terminé ?

— Ce qu'il faisait chaque fois, murmure Pervenche.

— C'est-à-dire ?

— Il chialait.

Cette déclaration me serre la gorge. Bon Dieu d'humanité en désespérance ! Ce vieux mec qui vient pour un simulacre, qui ne copule même pas et qui larmoie, sa petite séance achevée. Qui pleure d'étranges larmes venues d'ailleurs avant de replonger dans la vie quotidienne. Mais, Seigneur, quelles bizarres malédictions Tu nous laisses porter, au long de nos jours insipides !

— Ça a été hier comme les autres fois ?

— Pareil. Si nous avions chronométré sa petite affaire, nous nous serions sûrement aperçues qu'elle se répétait toujours avec les mêmes mots et les mêmes silences, déclare l'ancienne infirmière.

— Il est parti après l'académicien ? demandé-je à la mère Mina.

— Assez longtemps après, précise-t-elle.

— Rien à signaler de particulier ? quelque diable me pousse à demander.

— Non ! fait la maquerelle.

Et puis elle ravise, ou du moins paraît avoir une objection interne qui lui ravive des salpingites endormies sous les palétuviers roses. Pourtant elle ne moufte pas ; c'est Monseigneur Mézigue qui vient quêter pour ses œuvres.

— Vous avez failli dire quelque chose, ma douce amie ? la prends-je-t-il à partie.

Elle a ce rire confus des humbles qui n'osent demander les gogues lorsqu'ils prennent envie de déféquer chez la baronne.

— Non, c'est une idée comme ça…

— Je raffole des « idées comme ça », elles sont souvent plus intéressantes que les idées comme ci.

Mémère rougit kif le cul d'un gibbon qui s'est torché avec du papier abrasif.

— Eh bien, il m'a semblé, mais c'est probablement une idée idiote, que M. Lelardon et le garde du corps de l'ambassadeur se connaissaient. En arrivant à la hauteur du garçon blond-roux dans l'entrée, il a eu un sursaut de surprise et s'est arrêté pour le regarder. L'autre a levé la tête, a fixé mon client, puis s'est remis à lire. Alors Lelardon est venu jusqu'à la porte que je commençais d'ouvrir et s'en est allé brusquement, sans me dire quelque chose d'aimable ainsi qu'il en avait l'habitude. Il avait l'air songeur, si vous voyez ce que je veux dire ? Et même…

Elle se tait au milieu de sa gambergerie, revivant ce qu'elle narre avec intensité.

— Oui ? la pressé-je, mine de rien.

— C'est probablement une fausse impression, se rétracte-t-elle.

— Les impressions ne le sont jamais, corrigé-je. Bien au contraire, il n'existe rien de plus fiable, puisqu'elles sont spontanées.

Elle paraît méditer sur ces écrasantes paroles que je m'attends à retrouver un de ces quatre dans les petits fascicules de l'irremplaçable maison Hatier.

— Une chose est certaine, reprend la marchande de cul, c'est que mon brave père Lelardon semblait chaviré. Comme s'il avait reçu un coup bas.

— Le garde du corps n'a fait aucune allusion au bonhomme, après son départ ?

— Pas la moindre ; il ne m'a même pas regardée.

— C'est peu après le départ du dernier habitué que vous avez ouvert la chambre du drame ?

— Dix minutes plus tard environ : ces demoiselles s'apprêtaient à plier bagages.

Un instant je me demande en quoi consiste, pour une péripatétipute, l'action de « plier bagages ». Croise-t-elle les jambes ? Remet-elle sa culotte ? S'accroche-t-elle un panneau de « sens interdit » devant la moule à crinière ?

Je retourne à la chambre du double meurtre.

Avec retard, hélas, je procède à un examen minutieux des scellés. Jeu d'enfant que de les faire sauter à l'aide d'une lame de canif, puis de les reconstituer avec un point de colle. Foutaises que ces détails qui impressionnaient le public, jadis, mais qui font marrer les mômes de la garderie aujourd'hui.

Je m'assieds au bord du lit à baldaquin pour contempler la chambre de passe. Hier soir, deux morts gisaient sur son épaisse moquette. Un couple terrassé par un gaz nocif sorti d'une bouteille de champagne. Peu banal. Ma pomme, quand je suis aux prises avec une méchante énigme, bien tourmentante, je me mets à fredonner la musique de *Laura*. « Laura, doux visage à peine entrevu… » Le film raconte l'histoire d'une femme assassinée : Laura. Un policier s'attache à résoudre ce problème car il est sous le charme du portrait de la morte. Il est seul de nuit, dans l'apparte de celle-ci. Et puis la lourde s'ouvre et Laura apparaît. C'est un beau moment de cinoche. Mystère et trouble délicat. « Laura, doux visage à peine entrevu… » Je sifflote le fameux air entre mes dents, me dis : « La Laura du film n'était pas morte, *quelqu'un d'autre avait été tué à sa place.* » C'est ça, l'astuce, tu comprends. ON

CROYAIT QUE, seulement il s'était passé tout autre chose. *Tout autre chose, bordel à cul !*

Je quitte le pieu pour tomber à genoux. Me déplace lentement, le pif à quarante centimètres du sol. Deux cadavres ont reposé sur cette moquette durant plusieurs heures sans laisser la moindre trace ! Je découvre deux ou trois cheveux blonds près du lit, deux ou trois cheveux bruns près de la table où se trouve encore le seau à champagne privé de bouteille et à demi plein d'eau maintenant tiède.

Jouant les bons petits Sherlock pour matinées enfantines, je glisse ces crins dans deux sachets de papier transparent. Généralement, je ne chique pas les rassembleurs d'indices ; je pratique plus volontiers une police coups de poings. Sauf dans certains cas rarissimistes, et celui-ci en est un.

Comme je serre les deux sachets dans mon portefeuille, des cris éclatent, provenant des profondeurs du claque. Un homme et une femme vitupèrent de façon discordante. Je reconnais sans mal l'organe lubrifié au beaujolais village d'Alexandre-Benoît Bérurier. Aux éclats, je décèle un courroux engendreur d'apoplexie.

Pinuche que j'ai laissé dormant sur une banquette Louis XVI, lui que voilà, bêlant sans cesse, surgit au milieu de mes réflexions avec la mine contrite d'un pénitent retour de Compostelle.

— Tu peux venir, grand ?

— Du grabuge ?

— Du jamais vu.

— Metz-Angkor ?

— Il est arrivé un accident à Alexandre-Benoît...

— Comment et de quel ordre ?

— Je pense que, pendant que NOUS ENQUÊTIONS, il a voulu lutiner la femme de chambre noire. Au cours de leur étreinte, j'ignore ce qu'il s'est passé, mais il ne parvenait plus à retirer son sexe opulent de cette charmante fille.

— La chose lui est arrivée déjà, notamment à Bruxelles, crois-je me rappeler ? objecté-je.

— Je sais, mais dans le cas présent, c'est assez particulier.

Je pousse un soupir si intense qu'il aurait assuré la traversée de l'Atlantique à la flotte de Christophe Colomb.

— Quouhaha ? explosé-je-t-il.

— Il est parvenu à se retirer de Mlle Cannelle, seulement son sexe a doublé de volume...

Je balance d'un pied sur l'autre avant de déclarer :

— On n'a pas le droit de passer à côté d'un scoop pareil, César ; demande à la mère Fleur-de-Cul si elle n'aurait pas un appareil photographique à nous prêter !

ENCORE

Bérurier jouit d'un triomphe qui deviendra rétrospectif, car il n'est pas en mesure d'en tirer profit, étant affublé d'un pénis qui lui arrive presque aux genoux, qui est surdilaté, tuméfié, dangereusement veiné de bleu vénéneux et, pour tout dire, promis à un lendemain difficile.

M'apercevant, il me saute sur le poil, comme un plaideur chicandier sur son avocat.

— Ça va pas s'passer commak, grand ! m'apostrophe-t-il. J'veuille des dommages et intérêts, dont en qualité d'officier d'police blessé dans l'exercice de ses fonctions. J'ai le droive pour moive. S'agit d'une digression caractérielle en bonnet difforme. Viole suvi d'vérole, av'c enfl'ment du paf, ça va chercher lourdingue. C'te donzelle va t'êt' reconduite à la frontière d'son bled, anus militarisé. Non, mais t'as vu dans quel état qu'é m'a mis Mister Popaul ? Une supposance qu'j'rencont un' v'dette qui m'prend à la chouette, disons une fille classe comme Charlotte Trempoling, tu croives qu'j'osererais lui déballer une abominante pareille ?

— Il faut consulter un médecin ! péremptoiré-je devant ce sinistre désobligeant pour le standing du Gravos. Cela dit, je n'ai jamais entendu parler d'une maladie à cet endroit délicat qui se soit déclarée aussi rapidement.

Madame, femme expérimentée, vient juger sur pièce. Elle a vu des cas identiques en cours de carrière. Notamment celui d'un notaire du Havre, fortement membré, qui était resté six heures soudé à une aimable Eurasienne étroite du couloir. Un médecin de quartier, mandé de guerre lasse, avait traité le couple avec des piqûres d'elle-ne-sait-plus-quoi, mais qui n'avaient opéré qu'à la longue. Le pauvre tabellion avait fini par retirer de ce doux piège un panais dilaté, tuméfié, violacé, tout semblable à celui de M. l'officier de police Bérurier. Penaud, il l'avait enveloppé de gaze et ramené à son étude d'une démarche de robot proche de la panne.

Mina ne l'avait jamais revu en son lupanar mais il lui était arrivé de rencontrer le bonhomme dans les proximiteries de la gare Saint-Lazare. Il avait fait semblant de ne point la voir. Le notaire du Havre avait réintégré une mobilité affable et paraissait apte à fréquenter son club rotaryen dans les meilleures conditions.

Donc, pas de soucis exagérés : le membre colossal se remettra vite pour peu qu'on l'enduise de la pommade du *Bon Sauveur* dont il lui reste une fin de tube dans un tiroir « de secours » où elle serre les objets de première nécessité : sa vaseline, son revolver d'appartement, ses boîtes de préservatifs, trois godemichés de calibres différents, un portrait du saint curé d'Ars, un flacon d'élixir de la Grande Chartreuse (indispensable pour ranimer des sodomites néophytes qu'une intromission de trop fort diamètre font défaillir), une longue pince chirurgicale permettant de récupérer les trucs plus ou moins insolites que des apprentis pervers se carrent dans le rectum, et enfin un slip en forte toile, garni de clous dont la pointe est orientée vers l'intérieur.

Le Gros se laisse pommader le module lunaire en cessant peu à peu de récriminer. Il finit d'être vaincu par sa conquête lorsque Miss Cannelle murmure, d'un ton nimbé :

— Dommage, c'était vachement bon. J'avais jamais pris un trognon pareil dans le cul.

Sous prétexte d'examiner le désastre de plus près, ces dames se repassent le chipolata de Béru après l'avoir trituré d'importance. De l'avis général, l'incident sera rapidement contrôlé et un retour de Sa Majesté est vivement souhaité par toute une chacune.

La grande Sandra, qui décidément est faite

pour donner un essor au bordel de la grosse Mina, entrevoit déjà des séances de gala réunissant des clients avertis auxquels Alexandre-Benoît proposerait des démonstrations de membre surdimensionné. Elle demande à notre ami s'il consentirait à des sodomies exceptionnelles, le cas échéant.

Le Mammouth déclare que, pour lui, l'amour c'est ni plus ni point qu'un orifice avec de la chaleur et qu'il n'est pas de ces dégueulasses mijaurés[1] qui font la fine bite. Quand il était enfant, à Saint-Locdu-le-Vieux, il s'exerçait sur des chèvres, voire sur son cousin Fernand qui avait des instincts homosexuels très prononcés et qui hébergeait son déjà monstre braque avec beaucoup d'aisance, sans émettre le moindre gémissement.

Son courage, sa bonhomie, font la conquête de ces personnes vouées à la volupté, et le Gros sort ragaillardi de l'entretien, la ziquette enveloppée d'un linge de toilette.

Miss Cannelle, auréolée par le fabuleux paf qu'elle a réussi à encaisser, nonobstant les avanies que l'on sait, raconte volontiers l'exploit du Mahousse. La gloire la rend lyrique. Elle dit la formidable poussée, quasi déchirante, qui l'a investie. Cette terrible pénétration prouve aux incrédules que patience, obstination et vaseline

---

1. Il ne répugne pas à mettre le mot au masculin.

finissent toujours par avoir raison d'obstacles en apparence insurmontables. Elle veut une photo du membre pour l'envoyer en pays africain, bien montrer à sa famille que certains Blanchâtres n'ont rien à envier aux hommes de son village, et qu'il est des Blancs qui, comme en musique, valent deux Noirs.

Tout semble donc rentrer dans l'ordre. L'harmonie a tendance à revenir, consécutive à une période de déstabilisation. Après la pluie, le Bottin, comme disait si justement Sébastien à M. Gallimard père.

C'est alors qu'on sonne d'importance à la porte du boxon. Cette véhémence alarme Madame. L'usage du timbre de l'entrée est généralement furtif dans une maison comme la sienne. Il s'agit de petits pets penauds exécutés par des messieurs qui gardent la tête dans les épaules et ont grande hâte qu'on leur ouvre.

— Mais quel est le voyou qui se permet cette bacchanale ! fait la bordelière d'un ton offusqué.

Néanmoins, elle se dirige vers l'entrée que martèle à présent un poing bourré de rudes phalanges et phalangettes.

Je la suis, tout encuriosé.

Elle débonde. Sur son paillasson, il y a un gardien de la paix avec, agglutinées derrière lui, un groupe de personnes composites aux visages tendus.

Elle n'a pas le temps de poser une question, elle est bousculée, plaquée au mur par le flot qui se rue dans le bordel telle l'eau par la brèche d'un barrage.

Je le regarde déferler, aussi ahuri que mamie Pain-de-fesses.

Le fer de lance du groupe, en l'occurrence l'agent de police, marque une hésitation comme un qui prend ses repères, puis fonce résolument vers la chambre « du drame »dont la porte bée.

Il entre, suivi de la foule.

Je me fraie un passage difficile à travers ces badauds survoltés.

L'agent se précipite à la fenêtre que je découvre grande ouverte.

— Surtout ne bougez pas ! crie-t-il à l'extérieur. Restez face au mur, les pompiers vont arriver.

Kif dans un film, on perçoit en effet le pin-pon des « archers du feu », comme les appelait si joliment la comtesse de Ségur qui n'en fit jamais un seul au cours de sa longue vie.

Vachement énervé, j'extirpe ma brème poulardière et la brandis à qui veut l'admirer en psalmodiant des « Permettez ! Permettez ! » autoritaires.

Me voici enfin dans l'encadrement, tout contre le sergot. Je mate à l'extérieur et crois soudain être plongé dans un cauchemar.

Une corniche large d'à peu près vingt centimètres court sous la fenêtre et ceinture l'immeuble. Notre croisée est la dernière de la façade ; six mètres plus loin, c'est l'angle de la construction. Un homme est là-bas, debout, qui s'efforce de s'incruster dans le mur, lequel, en dehors de ladite corniche, ne lui propose aucune aspérité digne de ce nom à quoi s'accrocher.

L'individu s'est lancé sur ce faible rebord, non pas courageusement, mais je dirais plutôt inconsciemment. Il est parvenu à se déplacer sur cet étroit entablement et puis, arrivé à l'angle de l'immeuble, le vertige l'a saisi. Alors il a eu le réflexe de se plaquer de tout son être contre la façade, de fermer les yeux et d'attendre. Il parle. Une litanie. En tendant l'oreille on perçoit, déchiré par le grondement de la circulation, les paroles de sa prière. Il la sanglote.

Il récite, comme ça :

— Vierge Sainte, au milieu de vos jours glorieux, n'oubliez pas les tristesses de la terre. Jetez un regard de bonté sur ceux qui sont dans la souffrance, qui luttent contre les difficultés et qui ne cessent de tremper leurs lèvres aux amertumes de la vie.

Il ne peut aller plus loin.

— Maman…, balbutie-t-il. Maman… O maman !…

Je devine qu'il est à bout. Qu'il va lâcher prise, s'abandonner aux sortilèges de l'horreur.

— Pinaud ! lui lancé-je d'un ton tranquille, pas d'impatience, vieux crabe ! Tu dois tenir encore un petit moment. Les pompiers arrivent. Tu les entends ? Laisse-leur le temps de développer la grande échelle, ensuite tu n'auras plus rien à faire, ils s'occuperont de toi.

— Je peux plus ! Je peux plus, répond la Vieillasse dans un râle.

— Bon, lui dis-je, je te rejoins, mais ce que tu peux être chiant !

Malgré les exhortations de l'agent, j'enjambe la barre d'appui après avoir ôté mes mocassins.

Je me dis, dans ma Ford intérieure : « Pauvre fier à bras de mes fesses, héros de caf conc' en chômage technique ! Tu te crois obligé de jouer les sauveurs intrépides, et tu vas déféquer dans ton beau costar de chez l'Académicien[1]. »

Malgré cela, j'avance, tourné face au vide.

Je perçois l'arrivée des pompelards, en bas ; la rumeur d'effroi de la populace qui compte bien qu'on va se fraiser comme deux mannequins, La Pine et moi. Néanmoins j'avance, en raclant la façade de mes fesses crispées. Je ne regarde pas en bas, mais droit devant. Et qu'aperçois-je ? Pile vis-à-vis de ma pomme ? Une nana blonde avec des bigoudoches dans les crins. Elle a ses deux

---

1. Il m'arrive de m'habiller chez Pierre Cardin.

mains appliquées sur le haut de sa poitrine et paraît folle d'angoisse. Enfin quelqu'un capable de charité chrétienne, tu crois ?

Tout en m'approchant de La Pine, je l'encourage à mi-voix :

— Bouge pas, vieux catafalque ! Me voilà. Tu vois que ça n'est pas tellement sorcier. Les pompelards sont en train d'agir !

Sans cesser de jacter des paroles stimulantes, je me demande ce que ce vieux nœud branle sur la corniche. Il s'est pris pour un zoziau, Pinuchet ? C'est une pigeonne de Pantruche qui est venue lui roucouler des choses tendres et l'a embarqué hors de l'immeuble, ce vieux serin déplumé ?

Je l'entends claquer de ses dents artificielles.

— T'aurais dû larguer ton râtelier avant de jouer les voltigeuses, César, je persifle ; tu nous joues un solo de castagnettes comme à la féria de Séville.

Je suis à présent à pas un mètre de lui et m'arrête car, si j'arrive jusqu'à sa portée, il risque de me choper à bras-le-corps, se croyant sauvé. Tu vois ce double valdingue pour le plus grand panard des foules charognardes ?

— Bon, je suis là, dis-je. A présent, tu fais le vide (si je puis dire) dans ta vieille caboche, ça ne doit pas être dur. On est en train de nous envoyer l'ascenseur, mec. Une nacelle de tôle au bout de l'échelle. Tu vas voir ce confort ! Un velours ! Tu voudras y remonter tous les dimanches.

— Je ne sens plus mes pieds ! bafouille l'Ancêtre.

— D'autres les sentent pour toi, vieux zob. Mais dis donc, t'aurais pas déféqué dans tes braies ? Ça fouette les commodités obstruées, sur ton perchoir. Tout doux, mec, plus que quelques secondes et le carrosse de Son Eminence est avancé.

« Bonjour, mon ami ! » T'inquiète pas, c'est au gentil pompier qui joue les liftiers que je m'adresse. Ça y est : le *lift* de monsieur nous attend. Vous avez bien fait de passer par là, cher combattant du feu ; mon vieux pote l'acrobate commençait à fatiguer. Voilà, La Pine : fais un simple pas en arrière et ta lamentable carcasse sera sauvée ! »

La Vieillerie obéit à mon injonction[1] et, de confiance, fait le pas en arrière qui lui est réclamé. « Venez, Margot, dans ma nacelle », que chantait grand-mère dans les noces. César est près du valeureux pompelard de la caserne Champerret, un certain Yvan Dénèfles ; 34 ans, marié, 3 enfants dont l'un est l'aîné des deux

---

1. On peut dire aussi « à mon enjoignure », mais il y a une taxe de style à payer.

autres. Sauvé, la Baderne ! Mais combien trem-
blante ! Elle sucre comme si on lui avait enfilé un
pic pneumatique dans le recteur. Ses fausses
dents claquent, pareil au linge mis à sécher dans
la vallée du Rhône un jour de mistral.

Je le rejoins et le prends contre moi. La
Vieillasse se fout à sangloter.

— C'est les nerfs, hoquette-t-il, pour s'excuser
la réaction.

— Il voulait se suicider ? s'informe le pompelard.

— Ça m'étonnerait, dis-je-t-il. Ce vieux fos-
sile aime trop la vie.

Mais la question de « l'homme du feu »
comme on dit puis dans les journaux à sensation,
vient à son heure.

— Au fait, papa, que foutais-tu sur cette corniche ? T'es devenu funambule ou somnambule ?

Pinuche se dégage de ma fraternelle et quelque
peu filiale étreinte. Il déboutonne son veston et
me montre un énorme renflement de son
bénoche, à l'emplacement que devait occuper
Coquette dans ses bons jours anciens.

— T'as morflé une orchite double ? effaré-je.

— Non, non.

Il dégrafe son décolleté sud, plonge la main
dans une zone obscure de sa vêture et en ressort,
devine quoi ? Tu donnes ta langue à la chatte de
madame ?

Une quille de champ non débouchée.

Du Rougon-Macquart, mon chéri.

C'est plutôt inattendu.

— Raconte ! enjoins-je.

Notre cage métallique descend vers la foule qui, déçue par ce *happy end*, mais sportive, applaudit. A sa fenêtre, la fille aux bigoudis nous envoie des baisers enthousiastes.

— Alors ? insisté-je.

Le Pinaud-culte retrouve enfin cet ineffable sourire qui nous informe qu'un mystérieux messager est venu un jour lui promettre le paradis.

— Pendant que tu enquêtais chez la brave Mina, je suis retourné dans la chambre où fut assassiné le couple. J'ai ouvert la fenêtre pour examiner l'extérieur.

— Tu cherchais quelque chose ?

Il murmure :

— Nous autres policiers, nous cherchons toujours quelque chose, non ?

— C'est juste. Alors ?

— En me penchant par la croisée, j'ai aperçu cette bouteille au bout de la corniche. J'ai alors chaussé mes besicles pour mieux la voir et j'ai pu lire la marque du champagne : la même que celle qui a été servie au couple assassiné !

« Evidemment, j'eusse dû te prévenir et nous aurions trouvé un moyen moins périlleux de la récupérer, mais je suis un vieux scout, que veux-

tu, et je me crois toujours jeune. D'un mouvement irréfléchi, j'ai enjambé la barre d'appui et
me suis mis à me déplacer sur la corniche. J'ai
rejoint la bouteille et l'ai glissée dans mon pantalon afin de conserver l'usage de mes mains.

« Ce faisant, j'ai eu un faux mouvement qui a
failli me faire basculer en arrière ; du coup, la
panique m'a saisi. Une frousse intense, neutrali-
sante, irraisonnée. Je me suis dit que j'allais
tomber et m'écraser en bas. Et puis tu es arrivé et
tu m'as sauvé. O cher, cher Antoine, ami inappré-
ciable, mon plus que fils, mon héritier. J'ai déjà
fait mon testament pour te léguer tous mes biens
qui sont conséquents et feront de toi un beau
parti.

— Tu es gentil, fais-je, mais le seul héritage
que je toucherai jamais me vient de mon travail.
Je le perçois de mon vivant, ce qui est beaucoup
plus rigolo.

Il se met à pleurer :

— Ne refuse pas ce legs, Antoine bien-aimé ;
tu en disposeras à ta guise et je sais que ta décision sera judicieuse, car tu es un homme rare.

Pour le calmer, je lui dis que, d'accord, je pal-
perai ses royalties et en ferai bon usage.

Notre nacelle est proche du sol. Les gens
applaudissent, se croyant aux « Coulisses de l'exploit ». Je jette un regard en direction de la fenêtre où se tenait « la fille aux bigoudis » : vide.

Elle s'est lassée. Y a plus de danger, le spectacle a perdu de son intérêt.

— A ton avis, murmuré-je-t-il, ça veut dire quoi cette bouteille de roteux sur cette corniche ?

La Pine matoise n'est pas fanée du bulbe, espère.

— J'ai eu le temps d'y penser, assure-t-il en séchant ses ultimes pleurs à l'aide de sa pochette de soie.

— Et alors, authentique Baderne ?

Nous ne sommes plus qu'à quelques mètres du pavé parisien. La foule liesse à tout berzingue, acclame les rescapés, les pompiers, leur grande échelle articulée.

— Deux personnes seulement ont pu la placer où elle était, Antoine.

— Le couple qui se trouvait dans la chambre ?

— Exactement. IL N'EXISTE PAS D'AUTRE SOLUTION POSSIBLE.

Nous touchons terre. La populace frénétise. Bravos ! Vivats ! Une femme blonde à la tête hérissée de bigoudis se jette sur moi, passe sa jambe entre les miennes, me saisit les génitoires d'un geste délibéré et gronde :

— Toi ! Quand tu veux, comme tu veux, où tu veux !

C'est la fille qui se tenait à sa fenêtre. Affaire à suivre.

En tout cas, jusqu'à l'hôtel du coin.

ZOB

Comme il a été décidé que je ne me montrerais plus à la Grande Volière, je fixe rancard à Mathias dans un troquet de la place du Châtelet qui vient de sortir sa terrasse pour la première fois de l'année.

Il est déjà devant une table de marbre à siroter du pétillant peu catholique de par sa couleur frelatée.

On s'en presse chacun cinq avec énergie.

— Le petit Toinet t'a remis mes rapports ? abrupte-t-il avant que je n'aie déposé mon dargeot sur la chaise voisine.

— Pas encore, car il avait d'autres trucs à faire ; mais tu vas déjà me rencarder. Que contenait la bouteille de champagne trafiquée ?

— Un mélange de deux gaz dont l'un, le foutronium expansé est mortel.

— Et l'autre ?

— Il s'agit d'aliboron désuni, un puissant soporifique.

— Pourquoi le mélange des deux ?

— Je suppose que le second avait pour mission d'endormir les patients afin de les neutraliser pendant qu'opérait le premier, beaucoup plus lent.

Il a toujours une explication pour tout, mon grand scientifique.

— Et les deux autres boutanches de rouille, Rouquin ?

— Du champ', et de l'excellent, sans le moindre artifice.

Je lui tends une pochette en papier dans laquelle j'ai mis la bouteille trouvée sur la corniche.

— Tu pourras jeter un coup d'œil à celle-ci ?

— Naturellement.

Il tire le flacon du sac et l'examine par transparence.

— A travers le verre, cela ressemble à du champagne, mais j'étudierai la question.

Le loufiat vient s'enquérir de ma commande.

— Deux coupes de champagne, lui fais-je.

Et, à Mathias qui semble surpris :

— Un coup de brut te fera moins mal au foie que la saloperie que tu considères d'un œil si triste.

Je sors mes petites enveloppes de cellophane de mon portefeuille.

— Des cheveux, fais-je. D'homme et de femme. Je ne pense pas que ceux de la gonzesse puissent nous être très utiles dans l'immédiat, par contre ceux du mec ont une importance déterminante. Tu vas te rendre à l'ambassade de Chyrie avec une introduction des Affaires étrangères. J'ignore si, malgré un tel document, on te laissera entrer. Dans le cas z'où, fais-toi conduire dans la salle de bains de Son Excellence Karim Kanular et prélève des crins à lui sur son peigne ou sa brosse. Tu les compareras avec les tifs contenus dans ce sachet. Ça veut jouer, Blondinet ?

— Il faudra bien, rétorque cet indomptable ; mais tu sais, si ses chiens de garde ne veulent pas me laisser entrer, je trouverai un autre moyen pour me procurer les cheveux de ce monsieur : il m'en faut si peu ! Bien entendu, tout cela est d'une urgenterie urgentissime ?

— Ben voyons : comme d'habitude. Au fait, ça va, ta nièce ? Tu la baises toujours ?

Il regarde alentour d'un air effaré.

— Je t'en prie, Antoine ! Si quelqu'un t'entendait…

— T'es pas le premier tonton qui fait reluire sa nièce, Rouillé. Je connais même des oncles qui s'embourbent leurs neveux. Faut que ça serve à quelque chose, la famille.

*
**

Lorsque j'arrive dans son négoce de mort, il
est en train de faire l'article à une dame entre
deux âges (mais pas exactement au milieu) dont
la maman vient de larguer les amarres. Sa fille
voudrait lui offrir un beau lardeuss en chêne
massif et poignées de laiton, avec capiton de
satin et crucifix argenté qui vaut la peau des
couilles, mais le gendre manque de chaleur. Il dit
qu'à quoi bon investir dans du précaire qui sera
admiré par peu de connaisseurs et pendant un
laps de temps très réduit ; ne vaut-il pas mieux
employer cet argent à changer la Mercedes qui va
sur ses huit ans ?

L'épouse enchagrinée tient bon, dans le fortin
de son chagrin tout neuf ; son mari commence à
hargnir vilain. Avec l'héritage miséreux que laisse
la disparue, y a pas de quoi se mettre la queue en
trompette, ni faire de l'épate pour la galerie !
D'autant que pour ce qu'elle était agréable, la
mère Adrienne, toujours à casser du sucre sur le
dos de son gendre, ça n'incline pas aux dépenses
somptuaires. Si c'était pas pour son épouse, il la
ferait planter dans le contreplaqué dont on fait les
boîtes de cigares. Est-ce qu'elle lui a jamais offert
quelque chose pour son anniversaire ? Pas la
moindre cravate, pas même un paquet de

Voltigeurs ! Alors la classe luxe, tu repasseras, Ninette ! Le corbillard des indigents, oui ! Y a toujours fallu qu'il arrondisse les angles, Sébastien ! Qu'il courbe le dos ! « Oui, mémé ! Bien sûr, mémé ! J'y vais tout de suite, mémé ! » Tu veux le fond de sa pensée ? Son cul !

Et il le dit devant le directeur de l'agence, lequel doit comprendre que ce n'est pas à son industrie qu'il en a, mais à ce vieux trumeau qui a saccagé leur intimité. Toujours à geindre quand ils sortaient ; à appeler quand ils se payaient une sieste polissonne, le dimanche. Tu te rappelles peut-être pas la fois où je te tirais en seigneur, avec un braque de gladiateur ? Comme ils ne répondaient pas tout de suite, elle s'est levée pour cigogner leur porte, la vieille carne ! Un coup rentré qui lui a fait mal dans le bas-ventre pendant deux jours pleins ! Ah ! la sombre garce ! Ecoute, Ninette, moi je paie l'avant-dernière classe, juste pour dire de faire un geste. Si t'en veux une bien superbe, avec la musique de la Garde républicaine et Mgr Fustigé, mets la différence avec tes propres deniers. Vous m'entendez, monsieur ? Elle est à combien, l'avant-dernière ? Enfin, peu importe, moi, je verse le prix de l'avant-dernière et vous vous arrangez avec ma femme pour la différence.

M. Lelardon qui a l'habitude de ces démêlés matrimoniaux sort l'argument massue, celui qu'il dégaine à son heure quand il juge le moment opportun.

Bien sûr qu'il comprend le point de vue de monsieur, seulement, un enterrement concerne davantage ceux qui restent que le mort. Des funérailles au décrochez-moi-ça, qu'on le veuille ou pas, elles rejaillissent sur la famille. Quand on fait des obsèques au rabais, on est catalogué. Vous savez comment sont les gens ?

Oui, le grand con les connaît.

Alors il ferme sa gueule et se met à haïr un peu plus sa bonne femme ! Le funèbre-pompeur sait que, dorénavant, la voie royale chère à Malraux est ouverte.

Voilà. Finito ! La famille Cassepaut-Landernec s'offre un beau service funèbre. Messe chantée, cercueil plombé en palissandre, caveau de marbre avec stèle de bronze ! Le top !

Parce que tu penses peut-être qu'un quincaillier de banlieue n'a pas les moyens d'enterrer dignement la maman de son épouse ! Femme édifiante, s'il en fût, qui passait des documents au nez et barbe de la Gestapo pendant la guerre ; dénonçait des juifs à la même Gestapo pour se mettre bien avec elle, endormir ses soupçons. Les messages codés des résistants sentaient la chatte vu qu'elle les trimbalait dans son slip, ce qui leur conférait un *must*.

Maintenant, le gendre, attendri par sa propre largesse, pleure la morte qui lui revient si cher. De tout son cœur quincaillesque ! En vérité, il ne regrette pas de montrer qu'ils ont pognon sur rue. Pas toujours les nantis qui s'offrent des funérailles grande pompe !

Ils finissent par se barrer, ces deux dégueulasses, congratulés à mort par le père Lelardon qui vasouille peut-être du calbute, mais reste un grand pro de la viande froide !

Jusque-là, j ai attendu mon tour dans un recoin meublé de deux chaises en raphia, d'une table basse et d'une élégante plante verte artificielle qui représente un caoutchouc en matière plastique (que je situe, pour ma part, juste après la matière fécale).

Le papa Croque-mort m'aborde avec ce visage plein d'amabilité et disposé à la fausse compassion qu'ont les gens de sa profession.

— Que puis-je pour vous ? demande le pleureur sur cul d'une voix mansuète.

En guise de réponse, je lui produis ma carte gravée qui annonce, en anglaise aristocratique, que je suis le directeur de la Police parisienne.

Elle impressionne toujours les honnêtes gens qui se jugent responsables par inadvertance de crimes punissables par la loi.

Son doux sourire commercial laisse place à

une expression soucieuse d'astronaute dont les instruments de bord se mettent à foirer.

— Que puis-je pour vous, monsieur le directeur ? redemande-t-il.

Il a une bonne bouille, Pépère. Pas loin de la soixantaine, le front dégarni, le reste de la chevelure plus sel que poivre, le teint pâlichon, un nez terminé en cerise, le menton fendu en petit cul de bébé, l'œil doux et madré, bleu avec des reflets mauves.

Je lui souris de sympathie, il répond par une expression de reconnaissance.

J'aimerais un simple renseignement, monsieur Lelardon.

Il lève un sourcil de chien d'arrêt, la patte à l'équerre pour marquer, non son territoire, mais son intérêt.

— A votre disposition.

— Hier, en fin d'après-midi, vous avez rendu visite à l'excellente Mme Mina, tenancière de maison dite close, à proximité du théâtre Hébertot ?

Le pauvret en reste complètement coi, le dentier béant sur une langue impropre à la consommation courante. Ses pommettes vermillonnent comme à la suite de deux calvas dégustation et je lis, dans son œil clair, une panique désespérée qui émouvrait un tortionnaire chinois de l'époque Ming.

Son second réflexe est de regarder autour de lui. Dans un bureau vitré qui communique avec la pièce d'accueil par un guichet (présentement fermé), une dame secrétaire photocopie le formulaire des nouveaux forfaits avec extension jusqu'au Club Med pour les ayants droit des « chers défunts ».

Personne ne m'a entendu. Rasséréné un chouïa, le gars me tend une œillée suppliante.

Il chuchote, désignant la secrétaire du burlingue :

— C'est Mme Lelardon.

— Elle me paraît tout à fait charmante, complimenté-je en embrassant d'un air rugueux ladite personne, femme chevaline, d'un blond de mayonnaise tournée, affublée d'un long nez emmanché d'un long cou.

Je perçois la respiration obstruée de Pépère : il a de l'asthme. J'attends la suite dans le mutisme qu'il subit comme un cilice.

Un seul mot lui sort, pareil à une bulle née d'un cloaque :

— Pourquoi ?

Cette brève question résume son désarroi.

— Cher monsieur, bonhommé-je, vous êtes tout à fait libre de fréquenter tel bordel qu'il vous plairait. Si je mentionne celui-ci, c'est parce que vous y avez fait une rencontre qui n'avait rien à voir avec l'objet de votre visite.

Sa physionomie s'hermétise.

— Je ne vois pas, fait-il d'un ton tellement sincère qu'il filerait la chiasse à un marchand de bagnoles d'occasion.

— Dans l'entrée, le pressé-je, il y avait un homme jeune, d'un blond tirant fort sur le roux. La sous-maîtresse est persuadée que vous le connaissiez.

La luce se fait dans la mémoire clapoteuse du marchand de bières.

— Oui, je comprends ce qu'elle veut dire.

— Vous pouvez me parler de ce type, cher monsieur ?

Pépère a une mimique évasive.

Le connaître est un bien grand mot, assure le gérant d'asticots. En réalité, je ne l'avais rencontré qu'une fois.

— Puis-je savoir où et dans quelles circonstances ?

— Ici même. Il était venu demander des renseignements concernant une exhumation éventuelle.

— Intéressant. Baillez-moi la chose par le menu, je vous prie. D'abord, cela remonte à quand ?

— Il doit y avoir une quinzaine de jours à peine. D'après ce qu'il m'a dit, un sien parent décédé en France (cet homme avait un fort accent étranger) est inhumé au cimetière du Mont-

Charognarre qui est celui de notre localité subur-
baine. Sa famille de l'étranger songeait à rapatrier
le corps. Mon visiteur voulait préalablement se
documenter sur les formalités à entreprendre. Je
les lui ai communiquées. Il a pris des notes, m'a
remercié et s'est retiré en me promettant de
renouer le contact très prochainement. J'ai voulu
m'informer de son nom, mais il a répondu à ma
question par une autre et a pris rapidement congé.
Un garçon plutôt étrange, au regard pas commode.

— Et vous n'avez pas eu d'autres rapports
avec cet individu ?

— Je l'ai aperçu hier, où vous savez, voilà
c'est tout.

J'attends un instant, en réfléchissant. Puis :

— Vous pourriez rendre un service à la Police,
cher monsieur.

— Je ne souhaite que cela, fait ce vaillant, ce
pur, avec tout de suite les yeux braqués sur la
ligne bleue des Vosges.

— Vous avez, je suppose, vos entrées au cimetière. Demandez donc au concierge si quelqu'un
d'étranger y a été inhumé récemment.

Il prend une mine apitoyée.

— Oh ! monsieur le directeur, fait-il, mais des
étrangers, il n'y a que ça !

SCHMOLL

Dring !

Et même « Dreling ! Dreling ! » car la sonnette a un faux contact et fonctionne presque à contre-temps, comme dans les Laurel et Hardy.

Une musique douce me parvient, dite de chambre. Un violon est en grande converse avec un hautbois, tandis qu'un piano mêle son grain de sel.

« La porte s'ouvre, elle apparaît », comme il est dit dans la chanson. N'a plus ses bigoudoches à la con. L'est coiffée un peu poupée Barbie. Bien peinte comme il faut : sourcils, lèvres, pommettes. Débarrassée de sa robe de chambre de reine mage, tu apprécies mieux sa taille de guêpe. Elle est saboulée gironde bas noirs, short noir, chemisier rouge. De la fille agréable.

Elle haut-le-corpse en me reconnaissant. Me visionne à longs traits, assoiffée de ma personne, écrirait Jean d'Ormesson qui a bien failli être de la Cadémie française (il s'en est fallu de deux voix).

Je sens qu'elle va proférer quelque chose de définitif, et en effet ça ne rate pas :

— Vous !!!

Sourire un tantinet soit peu suffisant de l'intéressé.

Convaincue qu'il n'est pas question de mirage entre nous, la ravissante me montre trente-deux ratiches étincelantes.

— Depuis tout à l'heure, je ne pense qu'à vous ; vous m'obsédez. Toute ma vie je vous reverrai sur cette corniche, en face, allant secourir ce vieil homme. Sans vous…

— Sans moi, il se fraisait la gueule, admets-je. La perte aurait été irréparable pour l'humanité : c'est lui qui a inventé le tampon périodique à tête vibrante, le nougat liquide pour ceux qui défaillent de la prothèse dentaire et le chausse-pied pneumatique.

Elle se gondole, pis que le Grand Canal un jour de grève des tramways. Me fait entrer dans son intérieur, comme disent les bonnes gens et d'enfants.

Charmant pigeonnier : un studio assez vaste, plus une chambre mansardée et sa minuscule salle de bains, auxquelles tu accèdes par quatre marches.

Un coin de rêve pour la tringlette. Mais ne fais

pas attention : je vois des baisodromes partout ; question de tempérament. T'as des gus, une alcôve ombreuse, pleine d'odeurs légères, leur donne seulement sommeil ; et d'autres (dont auxquels j'appartiens), qui bandent à la vue d'un mouilleur de mines.

— Asseyez-vous, invite-t-elle. C'est vrai que vous appartenez à la Police ?

— Pratiquement, éludé-je-t-il plus ou moins.

Au lieu de me déposer dans le fauteuil qu'elle me propose, je gagne la fenêtre. D'ici je vois admirablement celles, closes, du bobinard de dame Mina. Quand on s'abstient de mater la *street*, en bas, on a l'impression de presque pouvoir toucher l'immeuble d'en face.

— Vous étiez aux premières loges, dis-je.

— Vous parlez ! Tout de suite, je n'ai pas remarqué le vieux type, c'est seulement quand vous avez enjambé la barre d'appui que j'ai commencé à découvrir ce qu'il se passait.

Elle m'a rejoint et sa cuisse droite fait connaissance avec ma cuisse gauche. Elles ont l'air de bien s'entendre, spontanément.

— On m'appelle Nane, dit-elle. Et vous ?

— Tony.

Sa dextre opère un tombé-braguette d'une parfaite délicatesse. L'impression qu'une colombe bat des ailes sur mon chibroque. Caresse de grand style, digne de la mère Windsor. On dit

que, quand elle paraît au balcon de Bujingame,
elle fait « bonjour, bonjour » à son peuple de la
main droite, tandis que de la gauche elle caresse
la bite de son ducal époux. C'est le seul endroit
où il est obligé de se laisser faire, alors tu parles
qu'elle en profite, mémère ! Son grand duc hono,
ça fait des encablures qu'il navigue loin de la
couche royale.

Je risque la question qui, en réalité, m'amène
chez la gentille Nane :

— Vous étiez chez vous, hier soir, quand une
autre personne déjà s'est déplacée sur cette corniche ?

Je suis anxieux de sa réponse, comme dit
Mme Duboudubraque, la repasseuse de m'man
qui « fait » nos rideaux de salle à manger et mes
chemises de smokinge.

C'est pile ou face.

Pile, je suis venu pour la peau ; face, je touche
ma prime-gamberge.

— Oui, répond la survoltée du petit bec.

— En ce cas, ma chérie, racontez-moi ce que
vous avez vu.

Elle expose :

— J'étais dans ma salle de bains à ce moment-
là.

Mon premier réflexe est pour déplorer, mais je
fais un double *look* par la pensée. *Donc, elle sait
qu'il y a eu quelque chose à voir. Si elle le sait,*

c'est parce que quelqu'un d'autre le lui a dit. Si
quelqu'un d'autre le lui a dit, c'est que ce quel-
qu'un d'autre l'a vu.

Je la presse de questions.

Elle s'explique.

— Mon ami Matthieu était passé me dire bonjour. Lorsque je suis sortie de la salle d'eau, il
m'a raconté qu'il venait de voir une femme marcher sur la corniche d'en face. Il était soufflé.

— Une femme ? bée-je-t-il.

— Paraît qu'elle est allée mettre une bouteille
de champagne tout au bout de l'immeuble.

Ça chante et danse en mon cœur. Ainsi donc, la
fille qui a escorté le prince ou son sosie chez la
mère Claquezingue était une équilibriste *chargée
d'évacuer la bonne rouille de champ'*.

A ce point du récit, on peut dire que ma comprenette s'obscurcit. Si cette acrobate a éloigné la
bonne boutanche de la pièce, c'est donc qu'elle a
apporté l'autre et qu'elle la savait truquée. Si
donc elle était au courant, pourquoi s'est-elle
laissé buter ?

Intéressant, non ?

Au plus intense de mes réflexions, je m'aperçois que je trique comme Guignol. Pas de l'er-
satz, espère ! Du goumi en pur caoutchouc dur, à
peine flexible.

Elle a, en me sentant culminer, cette exclamation de surprise si flatteuse que j'ai toujours

préférée au Prix Goncourt ou à une réception à l'Hôtel de Ville de Paris.

— Il y a des attractions dans votre rue, plaisanté-je.

— Les plus fortes ne se trouvent peut-être pas sur la voie publique, dit la spirituelle jeune femme en procédant à l'extraction de mon pénis que sa rigidité rend malaisée.

BEURGH

Un papier quadrillé est punaisé contre la porte :

« Au cas que tu rentrerais : je suis été voir maman qu'a de la fièvre. Mais je m'arrête pas. Solange. »

Béru lit laborieusement car, pour cet intellectuel du pâté de foie, le plus bref et laconique des écrits a la rébarbation d'un papyrus égyptien.

Il tire la conclusion du document :

— L'est pas là !

Par acquit de conscience, nous sonnons. Un timbre du genre mauviette retentit, égrotant. Sa sonorité cafardeuse s'engloutit dans un silence à bon marché.

Nobody.

— Qu'est-ce on va-t-il faire ? s'inquiète le Gros (qui ajoute, sans reprendre souffle :) J'ai les crochets.

— Va t'acheter un sandouiche, moi je vais l'attendre.

— Tu croives ? objecte le féal compagnon sans grande joie. On aurait pas meilleur compte d'aller carrément claper dans un restau ? J'en ai repéré un qu'avait l'air corréque à moins d'deux mille mètes d'ici.

— Pas le temps.

— Tu dis qu'tu vas attend' la mère Lanprendeux et qu't'as pas l'temps ; faudrait savoir, qu'on susse !

Je bougonne :

— Tu me fais intégralement chier, mec. Va bouffer, si tu veux, je me passerai de toi.

Rien de plus dommageable pour l'Enfoiré que d'entendre un langage pareil sortir de ma bouche.

— Mercille, fait-il. C'est bon de s'faire craquer la bagouze pour un mec comm' v'là toi, on est récompensé.

Il balance d'un panard sur l'autre. Puis son baquet émet un profond gargouillement solennel en comparaison duquel le grand *Largo* de Haendel passerait pour une chanson à boire.

— Si j'attendrais davantage, je défaillirais, déclare-t-il. Faut qu'je vais bouffer une morce, comme disent mes amis suisses. J'te ramène un sandouiche, à toi z'aussi ?

— Non, merci.

— Tu t'négliges, mec. C'est pas raisonnab'.

Et il part le long de la rue tranquille qu'un chien sans véritable itinéraire suit en reniflant les murs.

Il n'a pas parcouru cent mètres qu'une assez forte dame vêtue d'un tailleur bleu marine et d'un chemisier à pois descend d'un autobus vert et crème.

Elle fait de l'éléphantiasis car chacune de ses cannes a une circonférence supérieure à celle de sa taille. Mon proverbial instinct me prédit qu'il s'agit là de la dame de Lanprendeux Achille. Je lui délivre alors un aimable sourire de diarrhéique constatant qu'il y a exceptionnellement du papier dans les gogues publics où il n'a eu que le temps de s'engouffrer, et je me présente.

— J'sus t'enchantée, m'affirme-t-elle ; j'entends si tellement causer de vous, et depuis si tellement longtemps…

M'est avis que mon estimable confrère Achille a épousé une fille de ferme d'un hameau perdu.

— Je voye que Chilou a pas encore rentré, dit-elle, mais vous pouvez l'attendre, y n'tardera plus.

Elle déponne la lourde du pavillon de quatre pièces, en meulière agrémentée de coquillages datant du secondaire, et entre de profil.

— Madame votre mère est souffrante ? demandé-je, me référant au message laissé à son époux.

— Pffou ! Elle s'écoute, fait la douce Solange.

C't'un' personne qu'est toujours en train d'mourir d' ceci, cela.

Me voici dans un délicieux salon meublé scandinave avec, sur les murs, de chouettes tableaux au point de croix, dont l'un représente une petite Hollandaise portant ses seaux de lait à l'aide d'une sorte de fléau, et l'autre une biche paissant dans un sous-bois enchanteur sous le regard concupiscent d'un salaud de cerf lubrique.

— Votre mari est rentré tard ? je demande innocemment.

La Solange me décoche un sourire d'une candeur qui l'aurait fait émanciper à l'âge de 40 ans si elle n'avait été mariée.

— Non, répond-elle.

— Il est rentré tôt ?

— Il a pas rentré du tout.

— Pourtant, son service m'a dit qu'il se trouvait chez lui…

— Je sais. C'est moi dont j'ai confondu, ça vient de sa radio dans la salle de bains. Elle s'est déclenchée seule, comme souvent, parce qu'il oublille de la remettre au point mort. Quand t'est-ce on a appelé pour demander sur lui, de son Service, j'ai cru qu'il était rentré. Mais je m'ai aperçue par l'ensuite que non.

— Et donc, pour résumer, vous avez répondu que oui, croyant que, mais il n'était pas rentré ? précisé-je-t-il dûment.

— Testuellement. Mais mon aviss est qu'il ne va pas tarder. Voulez-vous-t-il l'attendre ?

Je balance. Béru est au ravitau, plutôt que de poireauter dehors…

— Volontiers.

— Assoyez-vous. Je nous prépare un café ?

— Ce serait gentil.

Elle part « en » cuisine. Je confie mes fesses au cuir privé de moelleur d'un canapé. Une pendulette en marbre couleur pisse d'âne tictaque sans enthousiasme sur la desserte, entre deux photos, dont l'une représente Solange en mariée, avec une couronne de fleurs d'oranger sur la hure (à l'époque, elle n'avait pas démarré son éléphantiasis) et l'autre un militaire habillé en soldat. Personnage con et énergique. Profonde fossette au menton, qui lui fait un cul de bébé, regard de jeune ganache peu amène, nez busqué.

Un instant passe, seulement marqué par le mouvement de la pendule ; puis Elephant-woman revient, portant un plateau lesté de deux grandes tasses et d'un sucrier vénitien importé par Uniprix.

— Vous le prenez-t-il avec du lait ? demande mon hôtesse.

— Il sent bien trop bon pour que je risque de l'abîmer, flagorné-je.

Elle parvient à caser un cul, conçu et réalisé par Botéro, dans un de ses fauteuils, en conçoit une légitime satisfaction qui s'exprime par un jet de vapeur prolongé.

Je lui désigne le portrait du gazier en uniforme.

— Un parent à vous ? interrogé-je-t-il pour dire de causer.

Que je crois, car nous ne faisons rien qui soit absolument gratuit, dans l'existence.

Du moins, en ce qui me concerne. Mes réflexes les plus spontanés, mes impulsions les plus innocentes, impliquent une démarche mentale qui, chaque fois, me déconcerte.

La « Fernand Léger » écarquille de la comprenette.

— Mais, mais, profère-t-elle d'une voix de brebis oppressée.

Je visionne mon hôtesse avec surprise.

— Quoi donc, chère amie ?

— Vous ne le reconnaissez pas ? Je veuille bien que cette photo a dix ans, mais quand même !

Et les nues se déchirent comme le fond de pantalon de Bérurier lorsqu'il lace sa chaussure.

— Achille ? écrié-je.

— Bien sûr !

C'est là que le cymbalier se déchaîne dans la fosse d'orchestre, pour sonoriser les nues qui s'entrouvrent.

Un boulot monumental s'opère sous ma coiffe.

Je pige, dans ce grondement d'instruments percussifs, que le mec qui montait la garde au bouic de tante Mina n'était pas le véritable inspecteur Lanprendeux.

L'effarement me met pleins de picotis dans la zone testiculaire.

Un serpentin de pensées illustrées. Je revois le perdreau qui montait la garde dans l'antichambre du bordel. Le dénommé Lanprendreux Achille. Il ne ressemblait pas du tout à cette photo ! Je lui ai confié les deux bouteilles de champagne avec mission de les porter au labo. Et le plus formide c'est qu'il les a portées ! Alors là, je nage dans une piscaille emplie de goudron fondu !

Sur ces entrefesses, Bérurier sonne à la grille du parc.

— Laissez, fais-je à la vachasse, c'est mon collaborateur.

Et je vais ouvrir, la tête pleine de choses aussi palpitantes que contradictoires.

Sa Majesté se ramène, portant un grand sac de victuailles à deux bras avec plus de soins qu'il n'en consacrerait à un bébé.

— C'est jockey ! jubile-t-il. Figure-toive que j'sus tombé su' un traiteur italoche qu'la boutique ressemb' à Alice au pays des merguez[1] ! Tu peux pas passer à côté du bouffement dont j'rapporte

---

1. Expression qui a fourni à l'auteur le titre d'une de ses meilleures z'œuvres, laquelle a été couronnée par S. M. le roi du Maroc qui veut bien m'honorer de son estime.

d' chez lui. La gentile p'tite maâme va nous aider à grailler. Moive, tu m'connais : quand y en a pour deux, y en a pour trois !

Sans attendre d'acquiescement, il vide son sac sur la table basse, empilant, tout en bavant bas, des tranches de mortadelle, de sauciflard, de gigot froid, des jambes de poulets de Bresse rôties, d'autres de lapins cuites à la sauce tomate, des andouillettes, des *penes al arabiat*, des aubergines farcies, plus des denrées végétales mais enrobées de graisse animale. Il termine en sortant trois bouteilles de Frascati aux étiquettes joyeuses comme des dimanches de fête.

La dame Lanprendeux est éblouie. Elle glousse comme si on lui faisait une langue dans la raie des fesses (ce qu'à Dieu ne plaise).

Bérurier s'assied en tailleur devant les cannes éléphantesques de la dame. Il est émoustillé et semble avoir occulté les récents déboires enregistrés par son pénis.

— Vous, z'au moins, vos jambes sont de vraies jambes, pas des aiguilles à tricoter ! J'raffole les personnes qu'ont pas les flûtes en poteaux de ruguebie. Quand j'tombe sur un' frangine qu'on peut lu mette la main grande ouverte ent' les cuissots, j'ai enville d' gerber. Vous, vot' moulasse, ça doit z'êt' quéqu'chose ! Pour vous débusquer l'clito faut s'équiper en péléocloque !

— Me permettez-vous de passer un coup de fil ? demandé-je à l'hôtesse sollicitée.

— L'appareil, elle est dans la chambre, me dit-elle, déjà distraite, subjuguée par les entreprises immédiates et catégoriques de mon compagnon.

Je laisse les deux tourtereaux pour tubophoner à l'Intérieur. On n'y a pas revu Achille Lanprendeux. Je me rabats ensuite sur le Rouquin.

— Tu tombes bien ! exulte l'Incendié. J'ai pu obtenir sans problème des cheveux et même les empreintes du prince, lequel semblait tout heureux de collaborer avec la Police.

— Alors ? questionné-je dans un râle de tragédie.

— CE NE SONT PAS LES MÊMES QUE CEUX ET CELLES TROUVÉS DANS LA CHAMBRE DU BOXON.

— Donc c'est l'hypothèse d'un prince pourvu d'un sosie qui prévaut ?

— Il semblerait.

Je réfléchis un instant, bien que ce ne soit guère aisé dans cette maisonnette où deux monstres commencent une séance de zizi-panpan.

— Seul un jumeau…, balbutié-je. Seulement Karim Kanular n'en a pas !

Le Rouquemoute profère quelque chose que je n'ai pas entendu.

— Comment ? lui fais-je.

— Je te demandais si tu regardais « Les Nuls » à la télé.

— Que veux-tu que je regarde d'autre, en dehors des actualités ?

— En ce cas tu te délectes des gueules de gens célèbres qu'on y trouve reproduites.

— Tu ne vas pas comparer !

— Antoine, serais-tu rétro ? Dis-toi que ces masques qu'on a fait caricaturaux, peuvent être d'une hallucinante fidélité si on le désire. Il est facile de reproduire le visage de n'importe qui, au point que les proches du sujet se laisseraient abuser.

— Dès lors, tout est possible, murmuré-je.

— Exactement, Antoine. Je suis même surpris qu'on n'ait pas tiré parti de cette nouvelle technique à des fins criminelles.

— On dirait que ça commence.

Le Rouquemoute reste pensif.

— Cela a peut-être débuté depuis un certain temps et personne n'avait encore eu vent de la chose.

— Pourquoi pas ? Dis-moi, les deux quilles de rouille qui t'ont été remises ont été apportées par qui ?

— On les a déposées pour moi, en bas.

— Qui ?

— Je vais m'informer, ne quitte pas.

Quand il revient en ligne, c'est pour me dire que le champ' a été confié au factionnaire par un chauffeur de taxi.

Dans le fion, la balayette !

LE FION

La partie est lancée. Sa Majesté s'est position-née pour une levrette éléphantesque. Mme Solange est maintenant agenouillée dans le fauteuil qu'elle comblait (non pas d'aise, mais de son monstrueux cul). Accoudée au dossier, elle dérouille avec liesse les coups de boutoir d'Alexandre-Benoît qui l'a entreprise, comme le pic pneumatique entreprend la montagne en passe d'accoucher d'un tunnel. Il procède par larges et profondes fourrées, poussant des reins avec des « han ! » de bûcheron. Sans cesser de commenter ses prouesses, avec sa logique coutumière, il dit :

— Faut qu'tu vas m'renseigner, Poulette. Dans tout' c' t' bidoche, j'sus pas certain d'la mise en place à m'sieur Popaul. Y s' peuve qu' j'égare dans des bourrelets. J'voudrerais pas déflaquer à côté d' la gagne, Trognon. Tu m'sens bien, au moinss ? C'est vrai, t'es sûre, j'sus dans le jack-pote ? J'peuve pousser les feux, c'est corrèque ? Biscotte si j'm' trouvererais à côté du bonheur, tout c'qu' tu y gagneras c'est d'l'irritance dans les pourtours, chérie. Non ? J' r'monte bien les Champs-Zélysées ? Jockey. N'en c' cas, j'envoye la brigade sauvage. Cramponne-toi au bastringage, va y avoir du gros temps, p'tit mousse.

« C't' crampe, faut aller la livrer à domicile, et avec un pareil paquet d'cul ça pose des problos. M'enfin j'en ai tiré d'autres, espère ! Qu'étaient pas toutes brodées à la main ! N'entr' aut' une giante dont elle a failli m'étouffer pendant qu'j'y f sais minouche ! Reus'ment que j'avais mon pistolet en fouille, y m'a permis d'donner l'alerte pour qu'on vinsse m'délivrerer.

« Oh ! dis donc, p'tite fée, mais tu gazouilles ! Tu découles en pâmade, on dix raies ? J'te sens v'nir un d' ces organes pas charançonnés, chérie. J'd'vine qu'tu vas gueuler au panais dans moins d'peu, mon zoisiau ! Toi, c'est l'essence qui t'mène. Mahousse comme t'es, tu dois panarder dans l'style *Mare au Diable*, j' présage. Faut écoper après la séance ! R'joind' la rive à la nage ! Vas-y du baba, ma jolie. Laisse-moi t' câliner les babines n'en même temps, qu'ça t'accrusse le charme.

« Quoi ? Allons bon, qu'est-ce qui vient ? Ah ! le facteur ! Y tombe mal, ce con. Bonjour, facteur ! Un r'commandé ? Posez-le su' la table. Quoive ? Une signature ? Donnez vot' carnet.

Hein ? Faut qu' ça soive maâme ? V'voiliez bien qu'elle est occupée. J'peuve pas l'interrompe, elle va pâmer d'une seconde à l'aut'. Ça lu carbonis'rait les sens. Grosse comme elle est, y aurait d'quoi y déclencher une crise cardiaque ; faut pas jouer av'c la santé, mon grand. Tu vas pas m'assassiner c't' vaillante gerce pour un' signature ! C'est passib' de corréquetionnelle. Laisse-moi l'temps qu' j'lu procède à la mise à feu.

« Assoive-toi, j'en ai pour dix s'condes montre en main. La fantasia cosaque, mon pote ! T'auras rien vu d' tel. Prends-en d' la grain', si tu voudras d'viendre une étoile de sommier. Mate, fiston : une paluche su' chaque meule. Et n'aye pas peur d'enfoncer les ong' dans la bidoche, qu'é souffrasse un brin, ça pimente. V'là la décarrade annoncée à l'estérieur ! Tu la vois démener du fion, ma p'tite Miss Univers ? Je la grimpe en mayonnaise à cinq cents coups minute. A n'sait pu où qu'elle en soit ! Tu l'entends gueuler, dis, La Poste ? Ça c'est d'l'embroque de prestige, mec ! Le tourbillon géant ! A n'est pas prêt' d'pouvoir se s'asseoir.

« Oh ! mais a crispe d' la bagouze, Miss Folie ! M'fait l'étau du diab' en pâmoisant ! Douc'ment, filiette, j'ai déjà donné et mon panais est tout dolorié de mon emplâtrage précédent. Tu vois, facteur, comme ça chope *very well* son fade une grosse vachasse tell' qu' maâme ? Oh ! la la !

E m'fait Versailles ! C'est la féerique su' l' Grand Canal d' l'urèt', les Grandes Eaux ! Oh ! puis tiens, j'tire pas ma crampe personnelle, j'la garde pour mon quatre-heures. Tu peux lu faire signer, maint'nant, facteur.

« C'est à quel sujet, ce faf recommandé ? Le Trésor biblique ! Et c'est pour ça qu'tu viens nous perturbationner, Pé-et-Té ? Quand on n'a qu' des fafs commak à délivrer, on les fout dans un' bouche d' dégoût, n'au lieu d' faire chier les gens qui baisent, Cancrelat ! »

J'ai attendu la fin de la tirade avant de m'esbigner. C'était trop mobilisateur pour que je m'en aille en cours de diatribe. En cette époque d'indifférence et de mépris généralisés, il faut savoir respecter les grands textes.

Maintenant, après le coup de chiftir réparateur, les deux monstres vont claper les victuailles apportées par Casanova. Leurs ébats réclament réparation. Ça épuise, l'amour. L'essorage des glandes dévaste un organisme, même parfaitement équipé.

Retourne à ton enquête, Sana, et fais diligence comme disait Lesurcq au bourreau en montant sur l'échafaud.

FLÛTE DE PANPAN

C'est au claque de la dame Mina que je me rends, attiré par l'atmosphère mystérieuse et déculottante qui y règne.

Et c'est là que je retrouve le révérend Pinaud qui semble, lui aussi, sous le charme trouble de cette aire de repos dévolue aux bas instincts.

Il est en train de s'offrir les services expérimentés de la belle Sandra dont les manières mondaines l'impressionnent. Moyennant une royale rétribution, il pratique à cette personne émérite un cunnilingus perpétré avec une technique dûment affûtée, mais malheureusement perturbée par un début d'asthme mal contrôlé.

César à l'établi, ça justifie une visite guidée ! Sa partenaire, largement retroussée, est installée sur une table d'auscultation gynécologique dans la posture la plus appropriée qui soit. Le digne Pinuchet se tient assis entre ses brancards et procède en conscience, avec un déplacement de langue ascensionnel, lent et régulier, qui donne-rait beaucoup de satisfaction à Sandra, s'il ne l'accompagnait d'un va-et-vient de son médius et de son index droits par trop imprégnés de nico-tine (C 10 H 14 N2), laquelle provoque une cui-sance démobilisatrice dans la chattoune de l'excellente femme.

Je contemple un instant la tête chenue du cher Débris courbée sur ce repas de fête, me sens attendri par sa besogneuse obstination d'homme infiniment doux et appliqué.

La mactée referme avec une extrême douceur l'huis entrouvert, après que la dame bouffée nous eut adressé un petit geste de connivence affable.

— Votre enquête progresse-t-elle ? se permet-elle de me demander.

Et pour corriger sa curiosité qui pourrait me sembler mal venue :

— Je suis anxieuse de vous voir résolver cette affaire, monsieur le directeur ! Je sens bien que tant que vous n'aurez pas aboutissé, ma maison sera suspicionnée. Voyez-vous, je l'ai fondée en 1958 et j'ai démarré petitement avec tantine et ma sœur Mathilde qui sont décédées depuis (elle se signe en deux exemplaires). Jamais je n'ai eu la moindre anicroche, si on excepte M. Rabillet, le grainetier, qui est défunté d'un infractus en se faisant mettre un gode de calibre 6 dans le cul ; mais il venait de subir une transplantation cardiologique et ne nous avait pas prévenues, ce qui n'était pas raisonnable de sa part, vous en disconviendrez. On se fait pas placer un goume de ce diamètre quand on vient de vous greffer un nouveau cœur. Il se serait contenté d'un 2 pour jeune fille, je reste persuadée qu'il l'aurait encaissé sans broncher. Un 2, ça va, ça vient ! Tout autre chose est le 6 !

« Je vois mon coiffeur, Hervé, qui nous rend une petite visite de temps en temps. D'accord, il tolère parfaitement le 6, mais vous savez que c'est limite, bien qu'il ait le pot comme une porte de grange. Un gode, monsieur le directeur, c'est pas un paf, j'attire votre intention. J'ai des clients, sous prétexte qu'ils se font miser à l'occasion, qui veulent essayer le 6. Ils s'aperçussent vite qu'entre un vrai braque et un chibre de plastique il y a une différence fondementale. Le gode ne se prête pas, comprenez-vous ? Conclusion, il fait du dégât.

« Depuis le décès de M. Rabillet, je reste circonflexe. Je dis à mes messieurs téméraires : brûlez pas les étapes. Commencez gentiment par un 2 de mise en train, puis vous continuez avec du 4, ce qui vous permet de juger si vous pouvez être plus ambitieux. Les hommes sont des enfants : que ça soye pour se faire enculer ou pour avoir la Légion d'honneur, ils prennent tous les risques. »

Elle médite un court instant, puis :

— Je vous ennuie avec mes histoires professionnelles.

— Du tout, chère amie, elles sont d'un grand intérêt, la rassuré-je-t-il.

J'ajoute, en limant l'ongle de mon médius gauche qui accroche :

— J'aimerais que nous reparlions de la fin de l'après-midi du crime. Les deux derniers clients : l'académicien et le vieux des pompes funèbres sont partis. Ensuite ?

Elle fait la moue avec sa bouche soudain déguisée en orifice d'âne.

— Ensuite, ensuite… Eh bien, mes jeunes filles se sont habillées en civil pour rentrer chez elles. Peu après z-elles, j'ai dit bonsoir au flic, pardon : au policier en fraction et j'ai gagné mon appartement privatif, au sixième, en lui donnant mon fil privé pour au cas il aurait besoin de quelque chose. Mais il ne s'en est pas servi.

— Et votre femme de chambre noire, douce amie ?

— Miss Cannelle ? Oh ! elle, elle dort ici.

— Vous ne me l'aviez pas dit.

— Pour la bonne raison que vous ne me l'avez pas demandé, monsieur le directeur, riposte l'exquise femme avec pertinence.

— Elle emprunte l'une des chambres de travail ? questionné-je.

— Pensez-vous ! Avec l'odeur forte qu'elle se trimbale ! J'ai beau la faire s'asperger de désodorisant, elle continue de fouetter. Chez les grosses, c'est le problème, surtout quand, d'en plus, elles sont noires. La nature qui est comme ça, ne me croyez pas raciste, surtout. J'adore ma Caca. Si elle ne boirait pas, ce serait une perle. Noire !

Elle rit. Je l'imite, du bout des incisives.

Peut-être que c'est drôle, après tout.

— Alors, où dort-elle ?

— Dans un débarras, derrière la cuisine. C'est pas le grand confort, mais ça lui suffit. Pourvu qu'elle aie ses dix bouteilles de bière par nuit, elle est heureuse. Une nature ! Sale carafon, râleuse, pas très propre, mais dévouée. De temps à autre, elle fait un extra avec nous, quand un client a des lubies de couleur. Mais son mec attitré, c'est un ancien de la Coloniale qui travaille chez le primeur d'en face. Elle va le rejoindre parfois, la nuit ; assez rarement car il boit autant qu'elle, sinon plus, et, généralement, la nuit venue, ils sont rétamés chacun de son côté.

— Donc, elle est restée seule ici la nuit passée, avec le flic de garde ?

— Donc, oui.

— Où est-elle, présentement ?

— En courses, mais elle va rentrer d'un instant t'à l'autre.

Comme dans les exquises pièces de boulevard

admirablement réglées, la porte s'ouvre, elle fait son entrée !

Elle coltine un cabas envictuaillé, son front ébénien (on dit bien ivoirien) ruisselle des courses. Elle fouette durement les défuntes coulisses du cirque d'Hiver… en été. Me sourit.

— Comment va votre gros type qui m'a tirée ? s'enquiert-elle civilement. Son zob lui fait toujours mal ?

— Moins, semblerait-il, déclaré-je en songeant à la dernière troussée administrée par le Mammouth à l'éléphante.

— Tant mieux, dit Miss Cannelle. Un zob comme le sien, ce serait dommage qu'il soit en chômage technique. Chez moi, les mecs sont fortement membrés, mais des nœuds de ce gabarit ne courent pas les savanes.

— Je peux vous parler ? demandé-je.

— Et qu'est-ce qu'on est en train de faire ? objecte, impertinente, la pertinente fille d'Afrique.

— Je veux dire : en tête-à-tête.

— Envie de piner ? se méprend-elle.

— Pas dans l'immédiat, éludé-je-t-il. On peut discuter sans se déculotter.

Elle réfléchit, admet d'un branlement la justesse de l'argument.

— On va dans ma cuisine ?

— Ce serait parfait.

Je l'escorte dans ce local défraîchi dont j'ai parlé plus haut. Elle marche devant moi en se dandinant comme un vieux cargo trop lesté, poussant l'illuse jusqu'à lâcher un jet de vapeur par sa bonde de vidange.

Arrivée, elle dépose ses victuailles sur la table et obstrue son trou de cul avec un tabouret.

— Qu'est-ce que vous voulez me dire ? s'enquiert la Gravosse.

— Vous dormez ici, m'a-t-on dit ?

Elle me désigne une porte sur laquelle on a collé une affiche de voyages vantant les joies d'un safari-photo. Elle représente un éléphant à la trompe dressée et un lion à longue crinière de horse-guard.

— Je peux voir ? questionné-je tout en ouvrant.

J'ignore sa réponse, suffoqué que je suis par les remugles puissants de cette tanière. Imagine un réduit d'un mètre soixante sur deux mètres dix, aéré chétivement par une lucarne à travers laquelle Bérurier ne saurait passer sa queue. Un grabat pestilentiel, composé d'un matelas et de couvertures enchevêtrées, un placard étroit et sans porte (on ne pourrait les ouvrir), et une photo indiscernable représentant une famille noire. Quelques boutanches jonchent, de bière pour la plupart. Et vides pour la totalité.

« En fin de XXe siècle », songé-je.

— C'est là que vous dormez ? fais-je en revenant dans la cuisine.

— Oui. Faut être nègre, hein ?

Je ne réponds pas.

N'en pense pas moins. Il y a des jours où j'ai
mal à l'humanité.

Je comprends qu'elle tute, la mère, une fois
bouclarès dans sa niche ; que veux-tu qu'elle y
fiche de mieux ?

J'avance ma main sur son épaule grasse. Je
voudrais lui dire des trucs, je ne sais pas : de
compassion, mais je crains qu'elle ne les pige pas
très bien.

Je m'y suis faite, dit-elle. Vous savez, chez moi
à Fédada, c'est pas plus confortable. Et puis,
Madame est plutôt gentille. Souvent, quand je la
vois dans ses bons jours, je lui demande si je ne
pourrais pas m'installer à l'annexe dont on ne se
sert presque jamais. Ça me ferait une vraie
chambre ; mais elle refuse. Elle est râteau, la
vieille. Elle prétend que j'ai une odeur forte et
que ça rendrait le studio inutilisable.

— De quel studio parlez-vous, Miss Cannelle ?

— De celui qui est sur le palier. Madame a fait
placer un miroir sans tain dans le mur de sépara-
tion. Autrefois, il servait pour les mateurs.
Maintenant, les gens n'ont plus honte et préfèrent
assister en direct, sans avoir à se rhabiller pour
traverser le palier ; de la sorte, ils peuvent partici-

per, comprenez-vous ? De temps en temps on trouve encore un vieux couple qui vient se rincer l'œil ; des gens comme il faut, qui ont une haute situation et ont peur d'être reconnus, mais franchement, ça se perd de plus en plus. Vous savez, on a facilement des ministres qui viennent participer à la partouze du mardi soir.

Elle se tait. Un voile mélancolique met du vague à l'âme sur cette face d'ébène.

— Et si j'arrangeais le coup ? proposé-je.

— C'est-à-dire ?

— Je vais aller parler à la maquerelle ; vous pariez que je vous fais obtenir le fameux studio ? Restez dans le vestibule et tendez l'oreille.

D'un pas déterminé, je rejoins le salon où Madame répond à l'appel téléphonique d'un féal client dont le nom de code est « Chaton Bleu » et qui souhaiterait venir avec sa sœur qu'il fait se prostituer de temps à autre quand ses lubies l'emparent. Il va falloir préparer trois mecs costauds qui entreprendront simultanément la frangine. Il fait la mise en scène que la bordelière fignole en artiste. L'un des trois hommes portera un masque de Mickey, une combinaison noire fendue pour laisser passer sa queue, et un martinet. Le second mettra un uniforme de mousquetaire, avec un godemiché à la place de l'épée. Quant au troisième, il sera nu avec une grosse carotte pourvue de sa fane dans l'ognard.

Le scénario est ingénieux, qu'on en juge : la sœurette bouffera la carotte cependant que le mousquetaire la sodomisera avec sa prothèse en chlorure de vinyle, tandis le bon Mickey procédera à un ramonage de l'entrée des artistes tout en fouettant le dos de la dame.

La chère Mina qui en a organisé d'autres, peaufine l'ingénieux scénario. Elle, elle préconise quatre gardes du cardinal en supplément, lesquels bastonneraient les participants.

Le scénariste hésite devant le prix de revient, alléguant qu'une création de cette envergure l'entraînerait vers un devis excessif. Dame Mina propose d'entrer dans une coproduction pour une participation d'un tiers, à condition de pouvoir prendre une série de photos. Son commanditaire renâcle, prétextant que sa sœur exige l'anonymat. Qu'à cela ne tienne, réplique la taulière, elle portera un loup de velours qui pimentera la scène.

On tombe d'accord. On prend date. Elle raccroche avec la satisfaction qu'entraîne une bonne affaire rondement menée.

— Alors, vous avez vu ce que vous voulassiez voir avec ma Noiraude ? gazouille-t-elle à voix flûtée de vieille pute minaudante.

— Et davantage ! riposté-je d'un ton fermé à double tour.

— Qu'entendez-vous par là, monsieur le directeur ?

— Votre employée est logée dans des conditions inadmissibles qui vont m'obliger à demander la fermeture de votre taule.

— Mais c'est une Noire ! plaide la trayeuse de foutre.

— Justement ! La Ligue des Droits de l'Homme se montrera impitoyable. Cette insalubrité s'ajoutant à une affaire criminelle, vous allez devoir anticiper votre retraite, la mère !

— Oh ! Seigneur. A mon âge ! Presque sans ressources…

— A moins que…

— Que quoi ? croasse la Mina ! Disez, disez vite !

— A moins que vous ne relogiez décemment cette fille dans votre studio de matage qui, paraît-il, ne sert qu'épisodiquement.

Du coup, elle retrouve l'oxygène qui tant se raréfiait dans ses gros poumons à quatre places.

— Mais voui ! exulte la moissonneuse de braguettes ! Mais naturellement ! On va lui faire un petit nid, à cette grosse vache. Tout le confort pour son gros cul à cette négresse de merde ! Vous voulez que je vous montre ce coin douillet, monsieur le directeur ?

Je me dis que je dois tenir mon rôle jusqu'au bout.

— Et comment ! aboyé-je-t-il. Je serai intraitable, je vous préviens.

BOUM !

« Un fiacre allait trottinant. »

Elle me fait songer à la chanson d'Yvette Guilbert, la dame Mina. La manière qu'elle arpente son couloir en pressant le pas, toute sa vieille laiterie en tressautements par-dessus son estom' dilaté.

On passe sur le palier. Il est éclairé par une grosse lanterne de laiton, à vitre bombée. Celle-ci se trouve en saillie (pour éclairer un bordel, ça s'imposait) et sépare la porte palière du claque d'une autre moins large, dépourvue de plaque nominative. Mémère a pris la clé et fourrage dans la serrure. L'huis s'écarte. Une minuscule entrée, séparée du studio par une lourde tenture, se présente, décorée de gravures qu'on appelait « licencieuses » jadis. Superbes ! Le thème de la série est la zoophilie. Tu vois une dame qui se fait mettre par un saint-bernard à l'air con (mais c'est de jouir qui lui fait ça), une autre par un âne moins bien constitué que Béru, une troisième par un bouc à l'œil démoniaque et une quatrième qui se fait lécher le triangle des Bermudes par un goret de belle prestance.

Très sympa. La série a dû être éditée par l'Association pour la Qualité de Vie des Animaux, je suppose ?

La mère maquerelle écarte le tissu. Une pièce se propose, laquelle comme on dit puis dans certains ouvrages de renommée mondiale, est plongée dans la pénombre.

— Ne bougez pas : je vais ouvrir les rideaux, annonce Mme Pain-de-fesses qui connaît les êtres.

Elle va à la fenêtre et, après tâtonnements, se met à haler un cordon kif elle hisserait le grand foc.

Une pénombre grise envahit lentement le studio.

— Ça sent le renfermé, s'excuse-t-elle.

— Et aussi le foutre, ajouté-je, en homme pour qui le sens olfactif ne sera jamais un parent pauvre.

La lumière d'aquarium qui croît dans un glissement de galets peu actionnés me découvre un divan bas, large comme un ring de boxe (ou de boxon). D'autres gravures, extrêmement pornos (et développant une documentation pédophile très poussée, qui confine à l'ingéniosité) « décorent »

les murs, sauf celui du fond puisqu'il est consa-
cré à un vaste miroir (que je sais sans tain). Peu
d'écrans sont aussi riches, je gage, en images
libertines. Un canapé fait face à la glace. J'ai l'intense, immense et redoutable surprise d'y voir
quatre personnages dans des postures abandon-
nées. Ils ont été jetés pêle-mêle sur ce divan
constellé de taches de foutre anciennes qui peuvent fort bien passer pour un chagrin de cierges.

Un bruit sourd distrait mon attention : celui
que vient de produire la dame Mina en s'éva-
nouissant une nouvelle fois de saisissement.
Etant donné qu'elle gît sur une moquette de haute
laine, je m'en désintéresse afin de me consacrer à
cette réunion un temps pestive (Béru dixit).

Se trouvent réunis dans la mort, comme on dit
en style dramatique : une femme et trois hommes.
La femme est mince, blonde et fortement marquée par son décès inopiné dû à une substance
foudroyante. Ses lèvres blanches et retroussées
en disent long sur la violence de son trépas. Dans
un même état se trouve l'un des trois hommes,
lequel ressemble beaucoup plus au prince
Kanular que le duc de Bordeaux ressemble à mon
cul, comme j'aime à dire parfois, étant d'un naturel facétieux. La ressemblance est stupéfiante, et
je dirais même plus : ahurissante !

Dominant la répugnance qu'inspire tout individu privé de vie à tout autre disposant encore de

la sienne, je me mets à palper son visage, à tirer sur ses cheveux, sur ses oreilles, à pincer son nez et son menton. J'humecte le coin de mon mouchoir et lui en frotte différentes parties de sa figure. Ouichtre ! comme disaient les Auvergnats, jadis, dans les dessins humoristiques généralement axés sur la scatologie, tout paraît de bon aloi.

Une flageolance me biche. Un début de nausée. S'agirait-il du vrai prince ? Pourtant ce cadavre est froid, raide, déjà malodorant. Or je me trouvais en compagnie du diplomate il n'y a pas si longtemps.

Je cherche les fameux grains de beauté sous l'oreille : ils s'y trouvent. Le gros qui a la dimension d'une pièce de cinquante centimes et, au-dessous, le petit, format grain de café !

Un sosie fabriqué de toutes pièces, longuement, patiemment, et d'une façon hallucinante de vérité.

Les deux autres mecs, sont, à n'en pas douter, Ange Zirgon et Achille Lanprendeux, les perdreaux qui furent dépêchés chez la mamie Mina dans le courant de la nuit.

A quel moment a-t-on trucidé les deux poulets ?

Mystère.

A éclaircir si possible. Sinon, je t'offrirai une boîte de caramels mous, les amis du dentier.

Je suis arraché à ma méditation professionnelle par la mère Mina (l'amère Mina) laquelle sort de son évanouissement, mais pas en grande forme.

Elle est assise sur la moquette, les cannes à l'équerre. Comme elle a contracté au cours de sa vie vouée à la prostitution, l'habitude de ne pas porter de culotte, et re-comme ses hardes sont troussées haut, on lui constate la cressonnière sans s'énucléer. Chatte qui n'a rien de suggestif, non plus que de désopilant, affaissée, toute en lourdes babines qui pendent comme les tentures d'un vieil hôtel délabré, enfourrée de pauvres poils trop longtemps compissés, qui clairsèment par plaques, défrisent d'avoir été constamment enfoutraillés, se décolorent au fil du temps, acquièrent la rêchitude agressive du crin de matelas ayant traversé une vie d'homme sans cardage réparateur.

Pauvre chatte surmenée une vie durant. Chatte en tas, tant de fois malmenée. Chatte à tout faire, héroïque par trop d'acceptations insensées. Chatte à caprices, jaunie sous le « harnois », chatte plus flétrie que chrysanthème d'après Toussaint, chatte qui s'est lentement défaite pour avoir trop servi, chatte de vieille pute qui n'aura connu des hommes que cette basse tige hasardeuse et péremptoire qui les conduit du délice au supplice, chatte de basses œuvres, plante animale obscure arrosée des pires sécrétions, pourquoi le besoin

me vient-il de te saluer bas en cette heure dramatique ? Pourquoi un pleur me jaillit-il, tel du
foutre vivace, à ta vue, ô chatte secourable et sans
convictions ? Que le Seigneur qui sait tout et a
tout voulu t'absolve et te bénisse, cher, cher
vieux con !

Qui a dit « Amen » ?

Personne ?

Si : ma conscience, tu crois ? Oui, sans doute.

Et la vieille pauvrette traumatisée par ces
choses effarantes qui lui surviennent alors qu'elle
est en fin de carrière, voire en proche fin de vie,
la pauvrette flétrie, sentant le louche et l'âge
venus, se met à chantonner comme pour conjurer
le funeste présent si dur à assumer. Elle possède
une voix de petite fille. C'est sa voix d'autrefois,
d'avant la putardise, le chant aigrelet d'une
époque uniquement réservée à l'aurore.

Elle fait, comme ça, en considérant la pointe
de ses souliers de vénérable putain au pot
défoncé :

— « Adieu l'hiver morose

« Vive la rose

« Allons, faucille en main

« Au travail dès demain. »

Puis elle a un rire bafouillé, plein de gêne, un
rire d'avaleuse de pipes et de bites dans le cul.

Elle regarde alentour, m'aperçoit, me sourit
peureusement.

Ah ! la sainte femme, au dur parcours plein de boue et d'ornières.

Je lui rends son sourire ; pas à elle exactement, mais à la petite fille qu'elle fut et qui continue de veiller en elle, telle une lumière de tabernacle, malgré les coups de verges, les pompelards crapuleux, les complaisances honteuses.

Soudain, elle revient à l'abjecte réalité, regarde les morts, éclate en sanglots et s'allonge sur la moquette, l'avant-bras en guise d'oreiller.

Beau !

Et triste.

Ainsi va la vie, mon ami.

VÉROLE

Quand nous revenons à la « maison mère » du bordel, moi soutenant la pauvre Mme Mina si durement éprouvée par ces assassinats, César Pinaud a terminé son cunnilingus et fume une Boyard pour se passer le goût du pain (un sexe de femme constituant sa nourriture de base).

Un sourire de miraculé lourdais ennoblit son visage en parchemin mâché. Il fredonne *La Petite Tonkinoise*, chanson rétro pour laquelle il a toujours eu un faible à cause, pensé-je, de sa connotation exotique.

— Tu tombes bien, me dit-il. Je méditais et j'aimerais t'entretenir du résultat de mes réflexions.

— C'est cela, déclaré-je en déposant dans un fauteuil cette partie de notre individu sans laquelle il n'existerait pas de jockey.

Et j'ajoute dans un long soupir, en comparaison

duquel l'exhalaison d'un soufflet de forge n'est qu'une soufflade de bougie :

— Ça va me faire le plus grand bien d'entendre la voix de la raison.

— Une chose me hante, commence le patriarche, auquel ses pellicules composent un mantelet d'hermine, c'est l'évacuation des cadavres.

Tiens, tiens ! Toujours cette bonne vieille jugeote, La Pine.

Il poursuit :

— La rue est très animée, il y a une boîte de nuit presque en bas, des bars, une charcuterie italienne qui ne ferme jamais. Pas commode de sortir avec des morts de cet immeuble ; pas commode du tout, quand bien même on les mettrait dans des malles ou des caisses.

— C'est vrai, conviens-je, d'autant plus facilement que les événements renforcent ses arguments.

— Tu sais mon instinct policier, Antoine ?

— Par cœur.

A cet instant mémorable, un grand cri de femme comblée fait trembler les porcelaines. Il est suivi d'une clameur mieux articulée :

Oh ! le salaud ! Y m'tue ! Mais tu me fais mourir, petite vermine ! On s'en douterait pas à te voir ! Qu'est-ce qu'y m'fait encore ! Vouiiiii ! Oh ! que c'est bon, t'arrête pas, t'arrête pas, surtout !

Oh ! la ! Oh ! la la ! Mais c'est un surdoué, ce con ! Où va-t-il chercher des trucs pareils ? J'en peuve plus, je craque ! Je lâche tout ! Depuis Arthur, j'ai pas pris un pied pareil ! Et encore, je me demande. Si : y a eu le docteur Flosailles avec sa bite râpeuse ! Oh ! le démon. Y pousse encore ! Y me transperce. Des ressources comme ça, où il va les chercher ? Tiens, sagouin, que je te talonne les meules. Fonce à mort, bolchevik ! Oui ! Ah ! Ooooh ! *Yes ! Again ! More !* Pousse, mon sagouin ! Pousse ! que je te dis. N'aie pas peur, c'est pas toi qui m'éclateras le pot ! Voilà ! Superbe ! Maman ! Encore ! *Again !* Je veux tout, que je te dis ! Bouhahahâââ ! Agrrrr ! Vouai ai ais !

Pinuche écoute ces cris, comme un mélomane du Mozart :

— A cet âge, être pareillement doué ! J'augure bien de la suite, assure le docte personnage, attendri.

— « A cet âge » ? reprends-je. Tu connais donc le tireur ?

— Evidemment. C'est Toinet ! Ah ! tu peux être fier de lui. Cependant, t'en es-tu fait du souci lorsqu'il était gosse. Tu le grevais de tous les vilains instincts. Dès qu'il écopait d'une retenue à l'école, tu le réputais graine d'assassin !

— J'avais de bonnes raisons, compte tenu de son hérédité, non ?

— Personne ne naît mauvais, Antoine. On le devient à cause des rencontres de la vie. L'enfant est influençable, malléable. Ce petit, grâce au Seigneur, a eu la chance d'être élevé par des gens d'exception comme ta mère et toi. C'est déjà un être d'élite, à tous les niveaux. Il a jeté sa gourme et il ne subsiste plus en lui que de la graine de San-Antonio.

Bien entendu, il se fait chialer. L'une de ses larmes tombe sur sa cigarette qui grésille. Une aimable morve argentée accompagne son émotion, longue stalactite arachnéenne qui scintille dans la lumière du claque.

Un concert d'eau courante réalisé par les indispensables Jacob Delafon, auxquels on ne rendra jamais suffisamment hommage, me parvient, tout proche, ainsi qu'une voix de femme brisée :

— Qu'est-ce que tu m'as mis, petit salaud ! Ça fait des mois qu'on ne m'a pas tirée de cette façon. Le dernier avant toi était un prof d'histoire-géo que son épouse battait et qui devenait un fauve lorsqu'il tirait une autre femme.

Si ma mémoire auditive est toujours perfo, la dame qui exprime est Mlle Pervenche. Le gamin fait son apparition. Tranquille comme ce fameux Baptiste dont on parle toujours mais qu'on ne rencontre jamais. Fringant, il est. Détendu, modeste. Sa queutée tant appréciée ne l'induit pas à l'esbrouffe. Il a tiré sa crampe et paraît absolument maître de soi, frais, prêt à réitérer.

Il m'aperçoit sans émotion, me pose une bise en piqué entre les sourcils.

Ne semble pas ressentir la moindre gêne. Murmure simplement :

— Gentille fille, cette Pervenche, mais bruyante, comme vous avez dû le constater. Son comportement n'est pas celui d'une pute, plutôt celui d'une quelconque épouse d'employé de banque. Elle est restée naïve et presque prude, malgré ses vingt mille pafs.

« Bon, à l'Intérieur, j'ai rencontré Hilaire Dunquon, le secrétaire du ministre, qui m'a parlé des deux flics qui se sont relayés ici au cours de la nuit : Zirgon et Lanprendeux. Des perdreaux surchoix, délégués à l'Intérieur pour leurs qualités professionnelles et, probablement aussi, leur appartenance politique.

« Comme tu l'as voulu, je suis allé au domicile du premier, chemin Kaskouye, à Meudon. J'ai été reçu par sa sœur et son beauf chez lesquels il crèche. Tous deux sont dans l'enseignement libre. Ange Zirgon est un homme extrêmement rangé, qui ne pense qu'à son travail. Côté cul, c'est pas un enragé. Il a une amie d'enfance qu'il rencontre parfois, mais sa frangine ne pense pas que leurs relations aillent au-delà de la tendresse, ce qui reviendrait à dire que ce mec doit avoir, si on en croit son mode d'existence, le calbute en cale sèche. »

— Tout le monde ne peut pas posséder notre tempérament de feu, ricané-je-t-il.

— Exact, p'pa. C'est pourquoi nous devons en user, voire en abuser, histoire d'établir une moyenne qui fasse honneur à la gent masculine !

— Maintenant, fais-je, avec cette maliciosité qui emporte l'adhésion de mes contemporains, à l'exception de quelques-uns et z'unes tels que M. Robin-des-Bois-Grillet ou Mme la comtesse de Parici-Lasortie, maintenant, j'ai une grosse surprise pour vous deux dans le studio voisin ; notre bonne hôtesse va vous y conduire. Au cas où elle s'évanouirait, baissez ses jupes car elle ne porte pas de culotte, ce qui est la marque d'une nature accueillante.

C'est la future « Madame » du bordel qui se risque avec moi dans la chambre où furent trucidés le faux prince et sa copine équilibriste : Sandra l'altière, pour l'appeler par son nom. C'est vrai qu'elle possède un *must* que les deux autres n'ont pas. On la devine marquée du Signe, comme disait Saint-Saëns. L'autorité lui conférera l'aura et, partant, la classe sans laquelle, de nos jours, la nouvelle prostitution ne saurait s'épanouir.

Finie la pute des bas quartiers ; le pain-de-fesses se conquiert avec grâce, tact et civilité. La radasse est morte ; des femmes élégantes, belles et cultivées prennent sa place. « Vous serait-il agréable que je vous suçasse, cher monsieur ? » ; « Puis-je vous signaler l'insuffisance de votre mise de fonds pour vous acquitter d'une fellation d'aussi longue durée ? » voire : « Il n'est pas interdit de penser que les pratiques anales que vous souhaitez entraînent automatiquement une allocation supplémentaire. » Ou encore : « Mes aimables collaboratrices sont toutes disposées à vous consentir la miction dont vous désirez vous abreuver. Toutefois, comme la cérémonie entraîne des dégâts du point de vue literie, elle ne saurait s'effectuer sans une augmentation du devis initial. » Commak, elles commencent à exprimer les nouvelles prostiputes.

Un jour, tapiner deviendra une promo dans l'échelle sociale. Nous irons présenter nos jeunes filles à des super-maquerelles distinguées en les suppliant de les prendre à l'essai et de les former.

Le monde évolue, monsieur.

Et tu n'y peux rien !

— Je dérange ? s'inquiète-t-elle.

— Du tout.

— Madame paraît bouleversée… Se serait-il passé de nouveaux événements dramatiques ?

— Non, non, je la rassure ; on gère toujours les mêmes.

Elle me regarde, hésite, puis referme la porte. Nous voici les deux dans la chambre des meurtres. En humant fort, je crois (mais c'est une idée comme ça), retrouver l'odeur de la denrée toxique.

MÉLI-MÉLODRAME

Pas de quoi chier une pendule, comme le dit volontiers Antoine II, mon presque enfant, mon plus que fils.

Elle a une manière tranquillement salingue de te regarder, qui te fait émerger la goutte de rosée au bout du nœud.

Le corps masculin (et le féminin idem) est un violon pour elle. Elle connaît les sonorités en puissance dans chacune de ses cordes, suivant l'endroit où tu la pinces.

Il y a également un je-ne-sais-quoi de goguenard en elle, comme chez tous les gens pas cons qui vivent parmi des cons.

Elle dit d'un ton badin, en examinant la pièce :

— C'est curieux, je devrais être impressionnée par cette chambre où des gens sont morts tragiquement, mais elle conserve pour moi son aspect quotidien.

Je la regarde avec un demi-sourire, mi-attentif,

mi-complaisant. Elle est aguichante, certes, mais le côté professionnel me retient. Nous autres, mecs, au plan sexuel, nous présentons deux aspects. D'abord le genre bas-pineur qui nous ferait enfiler une chèvre déguisée en Blanche-Neige quand la sève nous monte, ensuite l'aspect sentimental qui, parfois et fort heureusement, nous permet de dominer nos instincts gorets pour faire passer nos queues derrière nos âmes.

— Tu connais bien le prince Karim Kanular ? attaqué-je.

— Autant qu'on puisse connaître un homme dont on s'applique à assouvir les caprices.

Je murmure :

— Ça ne t'embête pas que je te tutoie ?

— Les putes sont *aussi* faites pour ça.

— Dans le cas présent, c'était un élan de sympathie et tu peux en faire autant.

— Merci. Mais rassurez-vous : je ne vous appellerai pas « Chouchou » comme se croient obligées de le faire la plupart de mes consœurs.

On se sourit de connivence. Tout à coup, voilà que je vis un instant de vraie détente dans cette piaule où furent perpétrés des meurtres.

— Tu l'avais beaucoup pratiqué, le glorieux diplomate ?

— Il finissait par devenir un habitué.

— Maniaque ?

Elle fait la moue, pas la guerre (comme j'ajoute-t-il régulièrement).

— Je ne dirais pas ça. C'était un jouisseur intelligent qui préservait, en toutes circonstances, un certain sens de l'humour. Les hommes d'esprit ne s'abandonnent jamais complètement à leurs bas instincts.

J'acquiesce. Elle parle d'or. Je me dis « quel dommage que cette femme se soit lancée dans le pain-de-cul ». Elle aurait pu devenir quelqu'un de brillant, dans le barreau ou les affaires, peut-être la médecine ?

— Tu t'appelles vraiment Sandra ?

— Non, c'est mon pseudonyme professionnel, pouffe-t-elle. Ça change quelque chose pour vous ?

— Absolument pas. Je vais te poser une question, ma gentille amie. Une question bizarre, mais capitale. Je te demanderai de bien réfléchir avant d'y répondre.

— Je suis prête.

J'avance ma main vers ses jambes croisées qu'un romancier au rabais assurerait « gainées de nylon ». Tu peux vérifier : même des types qui passent pour des écrivains ont des jambes « gainées de nylon » dans leurs *books*. Moi, il y a une vingtaine d'expressions de ce tonneau qui me permettent de les classer inutiles. Quand, ouvrant un bouquin, je tombe sur une « jambe gainée de nylon », je le referme aussi sec et le glorieux s'enfonce à tout jamais dans la fosse à glandus. Je suis maniaque, ça aide à exister.

Je t'en reviens à ma main sur son beau genou bien rond. Je trique, donc je suis.

Elle comprend à quoi correspond ce geste. Ce n'est pas celui d'un paillard en visite dans un atelier à baise, mais bel et bien une hardiesse de collégien que je n'ai pu réprimer.

— Alors ? me demande-t-elle, attendant la suite.

— Une question abracadabrante, Sandra ; je ne la poserais à aucune des autres femmes qui sont ici car elles ne la comprendraient pas.

— Excitant.

— Est-il arrivé qu'au cours d'une de ses visites, le prince Karim t'ait semblé quelque peu différent de ce qu'il était généralement ?

Elle a le bon goût de ne pas répondre à mon interrogation par d'autres. Elle l'enregistre et se met à y réfléchir posément, devinant qu'elle est importante pour moi.

J'attends, tout en caressant cet exquis genou bien rond sous le nylon qui le gaine (!).

A la fin, elle me mate dans les châsses.

— Effectivement, parfois, quelque chose en lui me troublait.

— On peut en savoir plus ?

— Un manque d'autorité ; je ne sais quoi d'un

peu flou dans son personnage d'ordinaire si inci-
sif. J'ai cru…

— Qu'as-tu cru, ma belle âme ?

— Qu'il s'était drogué avant de venir et que
les effets de son *shoot* continuaient de se faire
sentir ici.

Je souris avec un début de reconnaissance dans
les commissures.

— Tu parles d'or, chérie. Et puis ?

— Une fois, contrairement à ses habitudes, il
n'a pas voulu baiser, se contentant de regarder.

— Regarder quoi, mon petit cœur ?

— La fille qui l'accompagnait m'a broutée,
très bien d'ailleurs. Elle aimait ça, si vous voyez
ce que je veux dire.

— Elle était déjà venue ?

— Pas impossible, mais alors elle avait changé
sa coiffure et son maquillage.

— Tu me la décris ?

Elle s'exécute, consciencieusement. Il fait
vraiment bon « travailler » avec Sandra.

— On s'y croirait, jubilé-je. Tu es une femme
épatante, ma chérie. Je bénirai ton surnom jusqu'à soixante jours fin de mois et tous les lundis
de Pâques.

Alors elle tombe à genoux devant l'être d'exception que j'aurais pu être si le Seigneur était
allé avec moi au bout de Son propos pourtant
bien amorcé. Me dégage le malandrin et se met à

battre de ses longs cils sur sa partie en forme de coupole.

Exquis.

Et je pèse mon mot ! J'irais jusqu'à prétendre « exequis ».

Caresse suave, raffinée, presque chinoise, céleste, en tout cas.

Elle me dépolarise l'engouffreur à basse fréquence avec une conviction déterminante qui n'est pas le fait d'une pro, mais bien plutôt, d'une *amatrice* passionnée, comme dirait M. Calvet qui s'y connaît mieux en bagnoles qu'en vocabulaire, et c'est tout ce qu'on lui demande.

Je passe, en cette chambre vouée à la truciderie, un instant de charme dans une ambiance pondérée. La remarquable Sandra me ponctue le Nestor avec brio. On pourrait penser qu'elle passe un examen, quelque chose comme une licence ès licence.

Lorsqu'elle s'est beaucoup prodiguée, de louables scrupules m'engagent à lui valoir la monnaie de sa pièce. Foin de cet égoïsme masculin qui a ruiné tant de foyers, démantelé tant de couples. En toutes circonstances, le mâle se doit de veiller à la satisfaction pleine et entière de sa partenaire. Je sais des types (dont je tairai les blases, n'étant pas mouchard) qui se purgent le vase d'expansion sans la moindre pensée pour leur partenaire. Dure sera la chute de ces bas jouisseurs sans scrupules.

Un jour, leur zézette deviendra flasque et grise en leurs braies aux remugles de pisse froide. Elle leur sera peu à peu étrangère et ne leur servira plus qu'à des mictions laborieuses.

Il arrive que des musiciens (de fanfare principalement) jouent en marchant. N'en ce qui me concerne, je parviens, sans trop de difficulté, à penser en baisant.

Ne m'en prive pas. La période de la levrette maltaise, celle du tirlipotage modulé, puis de l'ecclésiaste à binocle et du zaunure glouton ayant été appliquées avec succès, je passe à l'enfourchement berbère qui me vaut de sa part des cris de fantasia dont ma vanité se réjouit. Il est toujours méritoire de faire se pâmer une professionnelle de l'amour. Oh ! je sais : tu vas penser qu'elle me le fait au chiqué ; mais comme je n'ai pas de sécrétions pour toi, laisse-moi t'avouer, avec cette impudeur qui m'honore, qu'elle m'en profusionne de telle sorte qu'aucun doute ne saurait planer à propos de ses sentiments.

La magnifique Sandra entre en fade comme d'autres en religion, avec un élan total et une conviction suprême. On sent qu'elle est à biter !

Lorsqu'elle pantelle, les cannes en fourche caudine, anéantie par un orgasme-typhon, je constate que son regard est révulsé, sa respiration sporadique et sa vie enrichie d'un merveilleux souvenir.

Ma pomme, bénaise en plein, a terminé, en cours d'essorage, sa trajectoire mentale.

Le Seigneur qui me pardonne tout parce qu'Il sait que je L'aime, m'a inspiré pendant mon déduit.

Me voici avec, à disposition, un plan large comme l'avenue des Champs-Elysées.

Je baise Sandra au front, pour changer un peu.

Voilà qui semble la ranimer.

— Tu dois être facile à aimer, balbutie cette bonne petite.

— Très, admets-je, mais pas longtemps.

Je caresse ses cheveux fous sur ses tempes. C'est un truc dont je raffole chez la femme, tout de suite après les poils de sa toison pubienne.

Elle soupire, voulant me faire un présent :

— Je m'appelle Marie.

— C'est le plus beau prénom du monde, soupiré-je, mais tu as bien fait d'en changer dans le travail.

Là-dessus, au fond des forêts…

Non, je te réciterai « Le loup et l'agneau de lait à 120 F le kilo » une autre fois. Pour l'instant, j'ai mieux à foutre.

Au salon, je retrouve La Pine que Béru vient de rallier. Ces messieurs causent cul avec les pécores putes et la mère Tatezy. Le Mastard explique qu'il n'est pas parvenu à prendre son fade avec l'ex-

DIS : PLÔME !

La voiture sort juste du garage aussi privé que son terrain de l'ambassade quand nous débouchons (de carafe) dans la rue. Une Bentley. Nez à nez avec une Rolls, ça ne fait pas désordre, espère. J'aperçois le diplomate à l'arrière, occupé à lire *Le Monde* dans le texte.

Il ne m'a pas aperçu au volant de l'opulente charrette pinulcienne. Quant à son *driver*, un basané en livrée, il navigue dans un nuage bleu davantage que dans une chignole de grand prestige, et son pauvre père aurait été à mon volant qu'il n'y aurait pas prêté attention.

Leur tire tourne le coin de l'avenue alors que la nôtre se range sous la hampe du drapeau. Un personnage important en descend : moi. Un autre continue d'y roupiller : César, que ses récentes tribulations de la chair ont proprement soporifié.

De nouveau, je me prête au manège de l'arrivée. Mais cette fois les formalités d'admission sont plus brèves pour un homme ayant déjà été (dûment) admis dans le saint des seins où lui fut réservé un accueil déchirant.

C'est la vaste pièce loukoum, dont les arabesques et fignoleries en tout genre flanqueraient de l'acné juvénile à Antoine Pinay. Y a les deux branleurs armés, à chaque extrémité et, au mitan, installée derrière un opulent bureau surchargé d'appareils robotiqueurs, la régnante du lieu : une somptueuse Arabe rousse aux yeux pleins d'étranges mordorances.

Moi, les filles arabes m'ont toujours intimidé.

Elles me causent un obscur sentiment de crainte. J'ai l'impression que si je m'y intéresse de trop près, quelque méchant mamelouk va surgir de derrière une tenture et me trancher les testicules avec son grand cimeterre sous la lune. Elles sont indéfinissables. Inaccessibles pour nous, nonobstant le vague air pute qui leur vient de leur brunité intense, crois-je. L'impression, aussi, que malgré leurs yeux de braise, elles n'apprécient pas tellement la baise et que jamais un Occidental ne réussira à les faire reluire intrinsèquement.

M'approche du burlingue plus vaste que le *Radeau de la Méduse* peint par Géricault.

Elle me regarde surviendre de son air impénétrable.

Beau sourire radieux du mec qui veut vaincre son sentiment d'impuissance.

Hélas, elle imperturbe.

— Bonjour, mademoiselle. J'espère que je ne vous importune pas ? J'aurais plusieurs petites choses à vous demander.

Elle riposte, sans vivacité, en continuant de me braquer son double trou du colt plein cadre :

— Je n'ai aucune qualité pour faire quelque déclaration que ce soit !

— Oh ! que je badine (à la Charlot), rassurez-vous, mademoiselle, cela se situe au niveau du simple renseignement.

Mutisme. Une extra-coriace.

Faut que je vais me résoudre à user des grands moyens. N'heureusement, en flic prévoyant, je suis passé au labo de Mathias avant de me pointer. Je toussote et, à l'insu, sort un vaporisateur de gorge de ma fouille comme un qui se coltine la méchante grippette de saison et s'efforce de l'enrayer avant qu'elle dégénère en pleurésie purulente.

Me file un petit coup de « tchlac tchlac », dans la gargante, histoire de me débloquer les voies respiratoires, aussi impénétrables que celles de la Providence.

— Ça dégage, fais-je-t-il. C'est nouveau, ça vient de sortir.

Que, tout en jactouillant et mine de rien, je

renverse le mini-vapo dans le creux de ma paume et, toujours subrepticement, ôte le bouchon protecteur situé à son autre extrémité. Faut avoir des dons de manipulateur de cartes, dans mon métier à la con.

Je dis, en respirant large :

— C'est fou comme ce produit dégage illico les muqueuses.

Et j'ajoute, brusquement en le lui actionnant à dix centimètres du pif :

— Par curiosité…

Tchlac tchlac.

Elle a un mouvement de recul avec son buste et d'autres accessoires qui sauraient occuper les mains et la bouche d'un homme pendant tout un trajet Paris-Lyon en T.G.V. et retour.

Je retire le vapo.

— Ça ne sent pas mauvais, hein ? La menthe, non ?

Comme pour solliciter une précision quant au parfum, je lui remets une chouïette de potion magique dans les naseaux. Qu'à l'instant, je croive qu'elle va se fâcher car ses yeux rapetissent et coagulent méchant. Mais quasi instantanément, son expression se détend.

Je me permets un troisième « pschtt ! » pour la bonne mesure. Renfouille mon instrument.

Mathias, on peut avoir une absolue confiance en ses découvertes. C'est un mec, il aurait moins la passion de son métier et ferait simplement inventeur, il gagnerait de l'artiche gros comme la bite à Bérurier.

La jolie secrétaire, je le constate, est maintenant à disposition. Je lui proposerais de lui passer des diapos cochonnes qu'elle serait capable de fermer les volets pour rendre la projection plus agréable.

J'accorde un double *look* aux deux vilains qui gardechiourment. L'un somnole, le menton sur sa cravate verte, l'autre lit les *Dernières Nouvelles d'Alsace* (où habite un de ses cousins qui est exportateur de choucroute en Chyrie).

— Vous êtes très jolie, tâté-j-t-il pour m'assurer qu'elle est à point.

— Merci, c'est gentil de me le dire, elle répond, avec un sourire flatté que ponctue, je présume, une humidité de bon aloi à l'embranchement de sa fourche claudine, chère à Colette.

Banco, la voilà conditionnée ; merci, Mathias, y a des Prix Nobel qui se perdent !

— Vous êtes au courant, pour le sosie du prince ? attaqué-je-t-il.

Elle a l'air indécis. Faut dire que ma question (en anglais *my question*) est imprécise, un peu flottante, même.

— C'est-à-dire ?

— Vous savez qu'il est mort ?

Elle sourcille légèrement, va pour dénéguer, puis m'offre un sourire.

— Enfin, si vous voulez, admet-elle.

— Je ne le VEUX pas, jolie demoiselle des *Mille et Une Nuits*, je le constate seulement.

Elle conserve l'air mutin, ce qui détonne avec son regard d'ordinaire intense de pasionaria à part entière.

Suit un silence, à peine troublé par le souffle du garde endormi.

Je poursuis :

— Il est mort au bordel de la chère dame Mina, vous l'avez appris, je suppose ?

Sourire ponctué d'un léger opinement de tronche.

Malgré le gaz de vérité, elle reste sur une certaine réserve, comme disait un de mes amis indiens. A croire que sa nature secrète livre un combat contre l'inhalateur de mon pote. Pourtant, rien de conflictuel ne transparaît sur sa physionomie.

— Son cadavre est toujours chez la tenancière, le prince est au courant ?

Acquiescement de la jolie secrétaire.

— Que compte faire Son Excellence ?

Elle a un hochement de tête s'enfoutiste.

— Rien ? j'insiste-t-il.

— Elle va attendre ; il faut bien en passer par là !

Un temps, puis elle complète :

— Vous ne pensez pas ?

Moi, gros con comme devon :

— Evidemment !

Pourtant, j'ajoute :

— L'affaire va faire du bruit.

Mon interlocutrice hausse les épaules :

— C'est un mal nécessaire.

Voilà que ça se met à déféquer dans le landerneau ! Une lourde du hall, dissimulée dans une tapisserie qui représente un sage assis sur un tapis, près d'un minaret, avec plein de colombes autour, s'ouvre brusquement et deux mecs se pointent. Pas grands, secs, avec des barbes de prophètes assermentés.

Ils putoisent comme des perdus afin d'alerter les deux gardes ; ça réveille celui qui dort, délecturise celui qui consultait *les Dernières Nouvelles d'Alsace*.

Ça glapit, gueule, tonitrue. Les deux hommes se précipitent sur la secrétaire et sur moi, leurs parabellums dégainés. Nous les enfoncent dans l'abdomen. Nous arrachent de nos sièges. La môme interjectionne à tout berzingue, et en arabe, ce qui n'arrange rien.

— Eh là !… Doucement ! j'offusque. Je suis le directeur de la Police !

Mais ça continue de crillasser, y a de l'égosillance au max du niveau sonore, que ça sature, si tu voudras que je te dise. C'est surtout après la gerce qu'ils se démènent. Torrentiels ! L'oued en crue. A l'oued, rien de niveau ! La pauvre gonzesse proteste de plus en plus mollement. Moi, je me dis que ces nergumènes vont nous faire un mauvais parti, sur leur lancée et avec des armes à feu à dispose. Alors, j'agis, qu'autrement personne ne le fera en mes lieu et place pour assainir mon horoscope.

Le petit inhalateur de Mathias. Je m'en vigule deux trois narinées du côté inoffensif. Puis le retourne et dégage autour de moi, plein pot, en me retenant de respirer. D'abondance. En décrivant un 360°. Que ces gens sont tellement inhabitués à de pareilles façons qu'ils se demandent ce dont je fabrique. Et le gars Mézigue, fils unique et préféré de Félicie, cœur-joise de grand rechef : « tchloque tchloque ». Les belliqueux se calment, en arrivent à se demander ce qu'ils branlent là, en cercle, et pourquoi ils sont essoufflés, tout rouges, le poil hérissonné avec de la sueur au front et des traces de freinage dans leurs calbute. Je leur souris. Ils me sourient. Dents blanches, avec moins d'incisives que tout de suite avant.

Un bref état de la situation me fait apparaître qu'il me serait bon de prendre, en vrac, mes cliques d'un côté, mes claques de l'autre, et de m'emporter ailleurs dans les meilleurs des laids.

Je souscris d'emblée à cette autosuggestion et

retrouve avec un immense plaisir l'air vivifiant, quoique pollué, de ce Paris dont on m'a seriné qu'il serait toujours Paris. Et que veux-tu qu'il fasse d'autre ?

Pinuche dort, façon marmotte. A l'odeur de beau cuir de sa Rolls, se mêle celle de ses chaussettes de laine dont le suint suinte.

Tagada !

CLOQUE

Les grands cimetières sous la lune, qu'il a écrit, Bernanos. J'en suis certain : je l'ai pas lu. T'as beau être cultivé, t'as des trous, comme le gruyère français (le suisse, lui, n'en a pas).

Le soir rôde entre les tombes. Les ombres s'allongent comme ma bite dans la main d'une dame rencontrée au cinoche à la projection de « Le doigt sur une chatte brûlante », d'après la fameuse pièce de j'sais plus qui, mais c'était bien.

Contrairement à ce que d'aucuns, et même d'autres, assurent, les cimetières ne m'impressionnent pas le moindre. Ces bonnes gens peinards, dont l'absence a été excusée une fois pour toutes, me communiquent un sentiment de paix. Ils furent et ne sont plus. Tous mes compliments ! Les moins émus. Les plus sincères. Nous autres, nous continuons de nous faire chier à marcher entre leurs tombes. A la mémoire de Césarin

Godiveau, d'Amélie Mélaux, de Truc et de Muche, bons cons venus et repartis, spermatozoïdes différés, un instant détournés de la bonde du bidet pour exister, faire semblant ; se chicaner, se haïr, très peu s'aimer, et enfin pourrir homo humus ! Trois petits coups de zob et puis s'en vont. Et y aura fallu les aimer, because frères z'humains, tu m'as compris ?

Oh ! mais que c'est abominable, tout ça ! La colique m'en biche, d'y penser. Parce que c'est sans vraie fin. Juste un déroulant sur boucle. Je le sais : j'ai eu l'occasion de mourir, deux ou trois fois, juste le temps de piger que ça ne sert à rien de crever. T'es pas davantage fini après qu'avant. La fin, c'est que c'est sans fin. Mais tu peux pas entrevoir, tu crois trop aux histoires bien faites. Le malentendu littéraire d'où tout découle, c'est ces trois foutues lettres : F I N. On aurait le temps, j'arriverais peut-être à te faire partager ma philosophie qui est : « Rien, avec Dieu autour ». Qu'à quoi bon, mon pleutre ? Qu'à quoi bon ?

Voilà ce dont je réfléchis, moi, Santonio, bricoleur de basses œuvres, semeur de foutre et d'idées folles. Assis sur la pierre d'Evariste Corniflard, 1908-1976 dont la gueule émaillée fait apprécier le trépas : gros glandeur engoncé dans sa graisse. Crise cardiaque, je te prends le pari. La paupière lourde sur un regard de bite.

Moustache comme deux brosses à dents circon-flexes. Trois mentons et un quatrième en chantier. Tiens, un limaçon vient lui rendre visite. Bave sur sa cravate noire. Hermaphrodite, le pauvre ! Corniflard devait l'être aussi, moralement, en tout cas. Comme tout le monde. On n'est pas finis, les uns les autres. On cause, on éjacule, mais ça consiste en quoi ? Où ça va ? que répétait mon Francisque.

J'attends. Ma Cartier, inflexible, m'annonce neuf heures dix et il existe encore une vague traî-née de clarté au fond du ciel, vers l'Amérique, tu vois ?

Sur son fax trouvé à notre P.C., Toinet a mis :

Qu'est-ce que tu fiches ? Impossible de te joindre nulle part ! Si tu reçois cette babille à temps, trouve-toi, ce soir, dès le début de la nuit, au cimetière du Mont-Charognarre ; il risque de s'y passer des choses.

Toinet

Bon, alors m'y voici.

Toujours imprévoyant, je n'ai pas pris de sur-vêtement, non plus que de bouftance. Je suis le genre de flic qui s'estime prêt à tout affronter, y compris l'Annapurna, quand il a son feu avec un chargeur de rechange.

J'ai choisi le caveau d'Evariste Corniflard

comme poste d'observation car il est dominant dans ce cimetière en pente. Assis sur la dalle et adossé à la sainte croix de pierre, les cannes allongées, j'ai une vue d'ensemble du lieu. L'idéal de mon observatoire, c'est qu'il se trouve contre une haie de hauts cyprès dont l'ombre me dissimule complètement.

Certes, le siège et son dossier sont un peu durs, mais un vaillant de ma trempe ne s'arrête pas à ces sordides détails. Je me dis que lorsque cette affaire sera conclue, je m'offrirai enfin la virée que...

Meeerde !

Tu sais à qui je repense, brusquement, après ces jours d'un étrange insouci ? A ma petite potesse Linda que je devais emmener en voyage de fesses. Elle a dû poireauter comme une dingue, avec son *Mort à crédit* sous le bras et sa valdingue pur box à ses pieds. Et ma pomme, goret putride, qui l'avait fait renoncer à ses vacances chez sa copine de Biarritz ! Oh ! l'immonde ! Le triste sagouin !

Faudra que je lui offre une montre en jonc dans une corbeille d'orchidées pour implorer son pardon. Que je mente utile. Prétexte un accide qui m'aura laissé momentanément amnésique. Le grand jeu, quoi ! C'est dur pour une gerce d'encaisser une avanie de ce tonneau ! Elle a déjà acheté le flacon de vitriol qu'elle compte me balancer dans la physionomie, c'est certain. Je vais ressembler à Frankenstein, une fois sa vengeance assouvie.

Mais comment ai-je pu occulter notre rancard ? Moi pour qui les affaires de cul sont sacrées ! Quels troubles avant-coureurs de l'âge m'ont perturbé à un tel point ?

C'est étrange de resonger à elle au cours de ce guet dans un cimetière de banlieue.

Le ciel est à présent tout noir. Fini, l'horizon bleuté. Un liseré de lune en cours de premier (ou de dernier) quartier.

La gamberge est vagabonde, c'est son principal intérêt. Elle passe d'un sujet à l'autre sans encombre ni scrupule. Délaissant Linda, traitée si cavalièrement, je passe à Toinet. Ce môme, parole, tu dirais moi. Sa manière de sauter brusquement sur une idée traversante et de planter là la ferme et les chevaux.

Pourquoi a-t-il largué brusco le claque de la mère Mina après y avoir tiré un maître coup qui résonne encore dans le fion de sa partenaire ?

J'attends. La nuit fraîchit. Des oiseaux nocturnes viennent relever les hirondelles, les piafs et les jolies mésanges. Des soufflés d'outre-tombe circulent comme dans du Victor Hugo d'avant Guernesey.

Dis : il est où, le Toinoche ?

Et voilà que je me surprends à dodeliner sur la

tombe d'Evariste Corniflard. Sans charre, j'embarque doucement, malgré la fraîche, le matelas de pierre, la méchante chouette ululeuse. Une lente glissade interne causée par la fatigue, voire l'épuisement. Trop de dépenses physiques et ballepeau de récupération, que veux-tu. Se démener, baiser, cavaler sans prendre la peine d'alimenter la chaudière, à force, tu deviens poreux.

Et bon : je rêve.

Y a la môme Linda à qui j'ai posé cet affreux *rabbit* qui se pointe par les allées du cimetière. Elle est en guêpière, comme dans un beuglant de western. Bas noirs, jarretelles. Pas de culotte. Elle tient un petit arrosoir de plastique rouge, muni d'une pomme à trous et se met à me verser de la flotte sur le visage. J'ébroue.

Retrouve mon coin désert, la tombe rugueuse, et m'aperçois qu'il pleuvasse un chouïa. Pas de quoi chauffer un four, disait mémé. De la pluie qui ne mouille pas, agace seulement en laissant craindre.

Le père Ducon, en photo sur son caveau, vigile dans les pénombres. Que reste-t-il de son pauvre destin d'abonné au Gaz de France ? Même plus des miasmes, juste des os pour le bouillon des asticots.

Un son régulier me parvient. Celui d'un marteau à la tête enveloppée de chiffons contre du fer. Pourquoi suis-je illico au courant de ce détail des chiftirs ? Qu'est-ce qui m'en a averti, Bézuque ? Mon subconscient qui entendait frapper depuis un moment et a analysé le bruit ? Probable.

Je fais du repérage. Ça provient de la partie récente du cimetière ; on l'a agrandi depuis pas longtemps et des dalles neuves partent à l'assaut du terrain vague annexé. Me reste plus qu'à, hein ?

J'ôte mes mocassins, les glisse dans chacune de mes poches de bénouze et pars en reconnaissance, courbé bas, à l'abri des croix. Me dirige au son : pas dif. Les violeurs de sépultures (car c'en sont, comme disait Dalila) ont beau amortir leur manœuvre, les coups n'en sont pas moins violents.

Toujours courbé en deux et me déplaçant dissimulé par des sépulcres, je parviens dans la zone où ils s'activent. Il y a un buisson de buis (idéal pour l'eau bénite) au pied duquel je m'acagnarde et dans l'ombre duquel je me fonds.

A travers les croix, je vois s'agiter trois hommes. Deux sont agenouillés et « travaillent », un troisième est assis sur la tombe la plus proche de celle qu'on force et il fume. Aucun d'eux ne parle. T'as seulement les coups de marteaux feutrés sur la tête des ciseaux à froid.

Les oiseaux nocturnes, déjà accoutumés à ces chocs sourds, ont repris leurs habitudes. Parfois, la mince pluie a une poussée et crépite, mais elle cesse presque tout de suite. Autour de moi, ça renifle les végétaux pourrissants. Des gens ont apporté des fleurs à « leurs » morts, puis se sont grouillés de retourner vivre, les laissant se corrompre dans des pots putrides.

J'attends sans impatience, bien que je sois curieux de ce qui va suivre. Je me dis que desceller la dalle va prendre du temps. Et après ? Que comptent faire ces messieurs. Emporter le mort ? Mais comment ? Ont-ils un véhicule ad hoc près de là ?

A cause de la petite lance fine qui tombe par giclettes prostatiques, je finis par être transpercé, à force. Sûr que je vais morfler une crève carabinée. Le bouquet (si je puis dire dans un cimetière) serait que je me mette à éternuer.

Les chocs réguliers se poursuivent. Ils sont synchrones, les fossoyeurs, et ont adopté un rythme régulier qui les fait cogner ensemble.

Au bout d'un lapsus de temps (Béru dixit) improbable (ça m'est duraille à préciser car je lutte contre le refroidissement, le sommeil et la fatigue, ce qui fait beaucoup pour un homme normalement constitué), l'un des deux marteleurs cesse de taper et dit quelque chose dans une langue qui, pour être probablement vivante, ne m'en est pas moins inconnue. Je suppose qu'il s'informe auprès du deuxième desceller de l'avancement de son propre turbin. Icelui répond par un grognement sans s'arrêter. Je continue de poire ôtée en enfouissant mon pique-brise dans un mouchoir pour tenter de réprimer l'éternuement qui me chicane.

Ça y est ! Le second a terminé idem.

Le mec qui fumait, assis sur la tombe voisine, se dresse. Un bref instant je distingue une chevelure claire. Il virgule sa cigarette en cours de combustion. Elle valdingue sur la pierre tombale d'Annette Lenfouré, 1951-1992, décédée des suites (et surtout de la fin) d'une longue maladie, non sans avoir été préalablement pourvue des sacrements de l'Eglise.

Je remarque qu'il s'est muni d'un sac de golf duquel il extrait des pieds de biche. Cette fois, ils sont trois à attaquer la dalle fermant le caveau. Manquant de professionnalisme en la matière, il leur faut déployer beaucoup d'efforts pour parvenir à la retirer. Mais la volonté est le plus puissant de leurs leviers, et cette sinistre besogne, comme on dirait puis à Bourgoin-Jallieu, à Ruy, à Moza et sur les berges de l'étang de Rosière, finit par aboutir. La porte est retirée. Pourquoi ai-je alors l'impression qu'une affreuse odeur de décomposition se faufile par mes trous de nez ? Estelle réelle ? S'agit-il d'un effet de ma prodigieuse imagination toujours prête à délirer ?

Deux des gars se coulent à l'intérieur du sépulcre. Je leur souhaite bonne bourre !

Détail amusant, malgré la sinistrance de l'instant : un fossoyeur éternue à quatre ou cinq
reprises. Veinard ! Je lui souhaite bien du plaisir.

Ça cogne et racle sinistrement. Le mec resté à
l'extérieur hale une corde glissée dans la tombe.

Ils s'évertuent, geignent d'efforts à s'en faire
craquer le pot d'échappement. La bière apparaît.
Dans la fosse on pousse ; à l'extérieur, on tire.
Ces mouvements conjugués permettent de la
dégager du trou.

Réapparition à l'air libre des deux fossoyeurs.

Ils ne perdent pas de temps. Chacun des trois
hommes se munit d'un tournevis et, en un tournemain, ils ont raison du couvercle.

Putain, l'odeur !

Oh ! dis donc : on est peu de chose. Quand je
pense que je rouscaille lorsque Béru balance une
louise ! Mais ses pets, c'est la vie, la salubrité des
matins calmes.

Le zig qui était demeuré hors de la sépulture a
tout prévu. Il place un masque de gaze arrosée de
désinfectant sur son visage, puis enfile des gants
de caoutchouc. Fort de cette protection, ce monsieur délicat entreprend d'explorer les fringues
du cadavre. Ses compagnons (les manars du
commando) attendent en tenant braqués sur le

cercueil ouvert les faisceaux de deux loupiotes à halogène. De ma planque, je ne peux visionner le cadavre, non plus que la frite du mec qui le fouille, car c'est bel et bien d'une exploration minutieuse des vêtements moisis qu'il s'agit.

Bibi ronge tu sais quoi ? Oui, son frein ! Pas le frein à main, l'autre. N'éternue pas, bonhomme, ne tousse pas, ne bronche pas, et s'il t'arrive d'être en érection, bande en silence, mon chéri. Ta vie ne tient qu'à un fil… de la Vierge.

ZIP

Cette période me paraît plus longue que tout ce qui a précédé. Un méticuleux, le gars. Un acharné ! Travail de termite. Il s'interrompt parfois pour fuir un moment le cercueil, se désankyloser, respirer un peu l'air salubre. Puis il revient à la tâche, avec l'obstination d'un insecte.

Le plus surprenant, dans ce trio, c'est qu'aucun ne parle. Il y a des sons mais pas de paroles, pas de questions.

Selon les bruits que je capte, le détrousseur doit agir très lentement, avec une minutie d'horloger. Ses gants de caoutchouc glissent sur des étoffes gorgées d'humidité et de moisissure. Les faisceaux étroits et intenses des loupiotes suivent ses faits et moindres gestes. Ma parole, on va passer la nuit sur ce documentaire !

Mais Dieu est généreux, qui couronne de succès nos entreprises lorsque nous les conduisons avec persévérance.

Brusquement, Exploreur I se fige. L'une des lampes enrobe ses mains d'une lumière crue. Il tient une sorte de petite pochette de daim et dégante sa main droite afin de pouvoir l'ouvrir. Je distingue des carrés de papier, de bristol plus exactement. L'homme les examine l'un après l'autre car il semble y en avoir plusieurs.

L'un de ses sbires lui pose une question à laquelle il ne répond pas. Alors, le questionneur, furieux, lui arrache la pochette des mains pour regarder à son tour le contenu. Le montre ensuite à son acolyte. Les deux fossoyeurs échangent quelques mots gutturaux. Le troisième, agacé, reprend ce qu'il a découvert d'un geste sec et le glisse dans sa poche. Il y a un bref instant de forte tension entre les trois mecs.

Puis le climat s'assainit. Les deux croquemorts d'occasion retournent à l'intérieur du caveau. Celui qui commande l'opération les aide à renfourner la bière. Le cercueil en pourrissement disparaît. Je perçois des raclements souterrains, quelques interjections. Au bout d'un moment, les choses souterraines se normalisent. Une main sort du sépulcre. Ça ferait une chouette affiche pour un film d'épouvante, style « La Nuit des Morts-Vivants ».

L'homme demeuré à l'extérieur sort alors de son pantal un pistolet muni d'un silencieux. De sa main libre, il braque le faisceau d'une des torches dans le trohu.

Une série de petits bruits ridicules retentissent, qui tiennent de la louise mal contrôlée et du bouchon de champagne foireux. Des cris s'échappent du caveau (qui devient nettement « de famille », il me semble).

Le flingueur se penche un peu plus et balaie l'intérieur de la tombe avec sa lampe, ponctuant parfois son investigation d'un nouveau pet de nonne.

Silence complet.

Je cause, je raconte, j'ai l'air de prendre mon temps. Mais sache bien que tout cela s'est déroulé en un clin d'œil.

Mon petit lutin intérieur me passe un branle, soudain. Il me crie dans le silence de ma conscience : « T'attends quoi, Ducon ? »

Il n'en faut pas plus. Je dégaufre mon ami Tutues et bondis, façon tigre du Bengale.

Oh ! le nœud ! Le triste, le faramineux locdu ! Dans ma précipitance, je n'ai pas tenu compte d'une chose essentielle : l'immobilité prolongée que je viens de subir m'a engourdi, a mis des boisseaux de fourmis dans mes pauvres membres. Je te présente, exécuté par le maestro, le fiasco le plus grand, le plus ridicule de ma carrière : je me tords la cheville, lâche mon feu qui s'en va dinguer à dache, voire même plus loin, et m'étale dans la glaise. Ai-je déjà vécu une aussi grande humiliation au cours de ma brillante carrière ?

Non, hein ?

Ben tu vois : y a un début à tout !

En attendant, ce coup fourré ne fait pas mes oignes !

Surpris, certes, par ma fulgurante intervention, le pilleur de sépulture réagit vite fait bien fait.

Je ne suis pas encore relevé que j'ai le canon de son arquebuse dans le creux de la nuque, là que m'man me donnait des gros bisous quand j'étais moujingue, pour me faire rire de plaisir.

L'espace de rien du tout, je me dis : « C'est un tueur, alors il va presser la détente et mon kilogramme de cervelle ira décorer la pierre tombale d'Annette Lenfouré, ce qui fera le bonheur des zoziaux, lesquels raffolent des abats. »

Mais à la seconde que je pense cette chose désagréable, je perçois un choc. (Les romanciers professionnels ajoutent généralement « sourd ». Un choc sourd. C'est la tradition. Tu l'auras remarqué.) C'est suivi d'un geignement escamoté et je reçois une poussée de haut en bas égale au poids du type déplacé. Fais un pas en avant pour permettre à mon tagoniste de mieux s'étaler, ce dont il ne se prive pas.

Une ombre surgit d'entre les morts, plus zégzactement d'entre les caveaux de famille. Tu sais qui ? Quel est celui d'entre toi qui vient de crier « Toinet » ? Tu lis plus vite que j'écris ou quoi-ce ?

D'accord, c'est bel et bien mon rejeton apocryphe qui se pointe, guilleret, souple et félin.

Il s'arrête devant le gonzier inanimé et lui chope son feu.

— Qu'est-ce tu dis de ça, p'pa ? C'est pas une entrée de théâtre, dans son genre ? T'as de la chance que je sois nyctalope d'une part et ancien tueur de piafs de l'autre. Quand je l'ai vu te braquer, j'ai eu les chocottes qu'il te praline comme les deux autres. Alors j'ai empoigné un vase de bronze sur une tombe et l'ai propulsé aussi fort que j'ai pu.

Je ramasse la lampe que le mec a fait choir et la braque sur lui.

Il est plus que groggy ; un filet de sang sourd de son oreille, pareil à un gros ver rouge. Je ne suis pas chirurgien, mais si cet homme ne se paie pas une fracture du crâne en bonne et due forme, moi je suis l'archevêque de Canterbury.

Je pose ma main sur l'épaule de Toinet.

— Tu vois, fils, soupiré-je, c'est ça « tomber à pic ».

— Tu crois ? rigole-t-il en ramassant mon feu.

— *Yes, sir :* je crois.

Comme on a un coup de flou dans les montants, on s'assoit, sans s'être concertés, sur le caveau de cette pauvre Annette Lenfouré qui n'a jamais, de son pauvre vivant, eu l'occasion de connaître des périphéries pareilles (Béru dixit).

La chouette engagée par la production nous donne son aubade. Blottis l'un contre l'autre sur le marbre froid, on savoure l'élémentaire bonheur qui nous échoit.

C'est bon de vivre et de s'aimer. Surtout dans un cimetière.

HISTOIRE D'OS

Un tunnel, quand on y réfléchit, c'est un raccourci. D'accord, pendant un moment tu ne vois pas le soleil, mais tu gagnes du temps pour mieux en profiter après.

Voilà ce que je me dis dans le salon de la mère Mina où, en compagnie de ces dames, je sable (qui a crié d'Olonne dans l'assistance ?) le champagne. En attendant, non pas Godot, mais Son Excellence configurative Karim Kanular que j'ai priée céans et qui a accepté.

Madame, que ses vicissitudes passagères avaient rendue mal embouchée, a récupéré sa parfaite dignité de femme en puissance de la sexualité d'hommes parfois intéressants, surtout dans leurs débordements physiques. Elle porte une admirable robe violette, très épiscopale, à manches de résille noire, embrochée d'un bijou large comme le bouclier de Brennus. Je la trouve particulièrement « régnante » au milieu de son cheptel.

Miss Cannelle, déguisée en soubrette de « Autant en emporte le ventre », remplace la boutanche de champ'vide par une pleine. Depuis qu'elle occupe la « chambre de matage » voisine, elle est radieuse. D'autant que son installation a donné un regain d'activité au studio. Elle l'a transformé en « Case de l'Oncle Ben », que c'est beau-comme-là-bas-dis ! Bambou sur les murs, découverte représentant des champs de coton hydrophile à l'infini. Soleil rouge sang. Y en a même deux pour faire le pendant.

Madame, qui a toujours eu des prémonitions, a testé la pièce sur des habitués, sentant brusquement qu'elle « tenait » quelque chose. Effet immédiat ! Miss Cannelle, dans ce décor, prend un relief inattendu. Une femme de chambre noire, vêtue de blanc qui parvient à saisir des melons avec son sexe, tu peux pas savoir l'engouement des messieurs. La Mina ne songe plus à passer la main. Elle a pigé qu'un nouvel âge d'or lui tombait sur la cerise. Qu'en plus, lorsque la grosse Noire exécute son numéro, on branche la vidéo sur les autres piaules où « ces demoiselles aguerries » libèrent l'intime de quelques intellos déplumés à gueule de brochet naturalisé.

On étend l'accès du claque aux épouses, ce qui est une grande première ; ces pauvrettes étant toujours brimées, obligées de pomper le mec des recommandés pour s'égayer le destin, ou de déguster la sempiternelle bitoune de Félix Quedune, le copain de classe de leur mari. Dorénavant, elles ont accès au lit de travail des pensionnaires de Madame, auxquelles elles peuvent prêter fesse-forte en cas d'urgence. Il y a chaque année des flambées de bites dans les boxons, au printemps. La sève qui fait le ménage. Pourquoi ces dames feraient tintin sous prétexte que leur retour d'âge est passé par là, alors que leur tirlipoteur de dactylos continue de se faire déguster l'asperge après les déjeuners d'affaires ?

Elle va mettre bon ordre, la rombiasse cheftaine. Son claque, mis un instant à rude épreuve, repart pour une nouvelle conquête de l'Ouest (parisien).

L'euphorie, je te dis. D'autant qu'elle vient d'engager une petite Asiatique délicieuse dont on lui a dit le plus grand bien. Une Malaisienne d'un mètre cinquante, jolie comme un cœur, qui sort de la Puhtasse School de Kuala Lumpur et qui dérouille des braques géants dans sa chattoune adolescente. La mactée a obtenu cette merveille exotique par un ancien diplomate qui l'avait ramenée par la valise diplomatique, pour son usage personnel, et n'a pu la garder car il s'est mis à développer un diabète vertigineux qui l'a rendu tricard de baise pour le restant de ses jours. L'Excellence a eu l'idée altruiste de recaser la ravissante Sâl Pin Jite dans un bobinard pour que ses frères humains puissent en profiter.

En quelques jours, des temps nouveaux, des temps prometteurs pointent à l'horizon du délicieux bordel.

Coup de sornette en coulisse.

— J'y vais moi-même, décide Mina. Ce doit être Son Excellence.

Et c'est bien elle, en effet.

Le prince-diplomate fait son entrée, beau à se faire lécher les couilles, dans un costar bleu myosotis. Chemise jaune paille, cravate azur pâle.

Il a un léger geste mi-salueur, mi-bénisseur de monarque en vacances. Les trois jumelles (si je puis dire) l'accompagnent, foudroyantes dans une robe claire assortie aux fringues de K. K. (Karim Kanular). Je parle d'UNE robe car c'est *la même* en trois exemplaires. Toutes ces dames s'extasient devant leur hallucinante ressemblance. L'atmosphère est relaxe, joyeuse. Le bon prince a dans toute sa personne un je-ne-sais-quoi de décontracté, de presque heureux qui fait du bien à regarder. Avec ses trois chattes de luxe, il a l'air deux fois plus monarque oriental.

— Il paraît que vous me cherchez, mon cher monsieur et ami ? fait-il en guise de bienvenue.

— D'arrache-pied, si je puis dire, Excellence.

— Vous n'êtes pas sans savoir qu'il y a eu quelques troubles dans mon pays ? J'ai été obligé de m'y rendre précipitamment pour aider le président à remettre de l'ordre.

— Je l'ai appris par les médias et j'y vois une merveilleuse allégorie : la monarchie volant au secours de la démocratie !

Il rit.

— Beau sujet de méditation, j'en conviens. Mais les temps changent constamment, mon bon directeur ; les valeurs basculent, les institutions commencent à ressembler à un jeu de lego dont les pièces se transforment à volonté.

Tout naturellement, nous nous sommes retirés à l'écart des radasses. Les pouffes de la mère Mina demandent aux trumelles de montrer leurs minouches, histoire de s'assurer que leur mimétisme joue là comme ailleurs. Notre pensionnaire lesbienne pousse le scrupule jusqu'à vouloir goûter aux trois pour vérifier si leur saveur est également identique.

Mine de rien, j'entraîne le diplomate dans le couloir conduisant aux chambres. Il me suit tranquillos, les mains aux poches.

— Pendant que vous remettiez de l'ordre dans votre pays, j'en ai mis dans vos affaires personnelles, Excellence, assuré-je en souriant.

— Je vous en sais mille grâces, mon ami, et je compte vous témoigner ma profonde reconnaissance.

J'entre sans répondre dans la chambre « fatale »,

comme l'écrirait un journaliste de canard à sensation.

Je désigne l'un des fauteuils à Kanular et vais m'installer au pied du lit d'apparat, selon ma bonne habitude : j'adore m'asseoir au pied des plumards, qu'ils soient d'apparat ou grabats infâmes. Au long de ma vie, quelques-unes des conversations les plus importantes que j'ai eues, je les ai tenues dans cette posture désinvolte.

Le prince a cet air badin du mec qui n'attend jamais rien parce qu'il a tout, qu'il contrôle tout et que des chiées de mecs compétents s'ingénient à lui baliser l'existence.

Il attaque :

— Quand je parle de vous exprimer ma gratitude, ami, je ne parle pas d'une décoration de mon pays dont vous n'auriez que faire.

Je rétorque :

— Ce sont celles du mien qui m'indiffèrent, prince ; les récompenses chyriottes ont à mes yeux l'attrait de l'exotisme. Elles appartiennent à un pays qui fait rêver.

Semi-courbette du prince-diplomate.

— Alors je vous décerne d'ores et déjà l'ordre d'Al-Khâli Vôlatil.

— Merci, Monseigneur. Puis-je vous demander de quelle couleur est son ruban ?

— Vert et or.

— Cela fera très bien sur mon alpaga marine.

Mon terlocuteur sourit avec indulgence.

— Je n'en resterai pas là, monsieur le directeur. Je compte vous offrir une montre Cartier au cadran serti de diamants.

— C'est beaucoup trop ! récrié-je. D'ailleurs, je ne mérite aucun présent ; votre illustre sympathie me suffit. Et si vous m'honoriez d'une de vos photographies dédicacées, je ne me tiendrais plus de joie.

— Vous l'aurez AUSSI !

Je lui adresse une inclinaison de tronche.

— Ah ! que vous êtes bien un prince, prince ! Donner est chez les grands un acte naturel.

— Question d'éducation, assure ce personnage d'exception. Et maintenant, racontez-moi l'histoire de mon double que j'ai tant de peine à admettre.

— Elle est si mal croyable, Monseigneur !

— Et cependant elle fut ! dit-il avec cette conviction empreinte de résignation qui animait le cher Galilée.

— La chose est certaine ! certifié-je.

— L'on m'a montré des photographies de mon pseudo-sosie, j'ai eu le vertige. Comment peut-on créer une telle ressemblance ?

— Il existe des spécialistes qui savent trafiquer les visages. Jadis, on ne trouvait ces phénomènes que dans des films de science-fiction. De nos jours, ces démiurges de la contrefaçon abondent.

— Donc, une bande de dissidents a entrepris de constituer un second moi-même et, avec du temps et beaucoup d'argent, y est parvenue ?

— Exactement, Excellence. Quand votre double a été au point, ils ont supprimé l'artiste (je ne vois pas d'autres termes pour le qualifier) qui avait réussi ce miracle. Seulement ce visagiste avait conservé une série de clichés pris au cours des différentes périodes de l'opération ; sans doute comptait-il les utiliser un jour pour se faire verser de l'argent, car ils constituaient une preuve irréfutable puisqu'ils permettaient, somme toute, de pouvoir, le cas échéant, faire marche arrière et de retrouver les traits initiaux du sujet. Vous comprenez ?

— Diabolique ! apprécie-t-il.

— Le technicien, dont on avait pris soin de se débarrasser une fois son travail réussi, gardait les documents photographiques dans l'appareillage orthopédique qui équipait sa jambe gauche depuis qu'il avait subi, quelque trente années plus tôt, une attaque de polio. Ses meurtriers ont connu cette planque astucieuse un certain temps après sa mort tragique et sont allés détrousser son cadavre.

— A quoi bon, puisque mon « sosie artificiel » était mort ?

Je le regarde dans les carreaux, à cet endroit où

le blanc des yeux est bleu chez les bien portants et jaune chez les hépatiques.

Il attend, tout en me défrimant paisiblement.

Je murmure :

— Est-ce bien nécessaire ?

Ses sourcils font le pont au-dessus de son pif.

— Qu'entendez-vous par là, mon cher directeur ?

Et le fils unique de Félicie, sachant qu'il évolue sur des sables mouvants minés, de soupirer :

— Parlons net, Excellence. J'ai été amené de par mes fonctions... particulières, à traiter cette affaire qui vous concerne. Je l'ai fait de mon mieux, mais je dois garder le secret (un secret d'Etat) sur tout ceci. Mon ministre avec lequel j'ai eu un entretien de deux heures est formel. Il m'a dit textuellement, de sa bonne voix lourde et fleurie : « Mon cher, nous autres, fonctionnaires français, avons nos « mystères d'Etat ». Il en va de même dans d'autres pays avec lesquels nous entretenons de fructueuses relations. Nous devons tirer un trait sur cette affaire ; non seulement l'*oublier*, mais nous comporter comme si nous l'avions toujours ignorée. »

Le prince a un sourire blanc dans sa barbe noire.

— Ah ! il vous a parlé ainsi ?

— C'est un homme qui ne mâche jamais ses

mots, ce qui lui vaut une sympathie certaine de ses ennemis, voire parfois même de ses amis.

— Qui veut voyager loin, ménage sa monture, fait mon interlocuteur, lequel, tout Oriental qu'il soit, ne répugne pas à emprunter des citations hexagonales.

Il polit ses ongles au revers de son veston.

— M'est-il permis, un instant et pour une seule fois, de vous délier de vos retenues professionnelles, monsieur le directeur ?

— Si tel est votre bon plaisir, prince…

— Parlez-moi de la fin de mon sosie.

Je biaise un tantisoit :

— A vrai dire, je la connais mal et l'ai « devinée » plutôt que « sue ». Voyez-vous, Excellence, un bon chien de chasse sait se désintéresser du gibier quand son maître le lui ordonne ; il fait passer l'obéissance avant l'instinct.

— Je souhaite vivement connaître le fond de votre pensée.

— En ce cas…

On se regarde. Ses yeux noirs comme le jais, l'onyx ou tout autre ressemblance pour romancier pénurique entrent dans les miens, puis dans ma tête afin d'y violer mes sentiments secrets.

— Je crois, Monseigneur, attaqué-je, qu'il s'est passé quelque chose de surprenant dans cette pièce où mourut votre « doublure ».

— Vraiment ?

— Tout ce qu'il y a de vraiment. Ça a été une rencontre de dupes. On a convié votre sosie ici pour le « liquider », si vous voulez bien me passer l'expression. La fille qui l'accompagnait fut choisie pour ses talents de funambule. Du bon champagne a été servi au couple, il convenait d'évacuer la bouteille pour la remplacer par une autre que la compagne du faux prince avait amenée dans son sac.

« Je suppose, mais je suppose toujours tant et tant, Monseigneur ! qu'on avait fait croire à cette fille que le contenu de la bouteille trafiquée devait seulement les endormir. Elle a viré la bonne sur l'extrémité de la corniche. Il fallait que, par la suite, subsiste uniquement le flacon meurtrier afin qu'on croie à un attentat exécuté avec la complicité des familiers du claque, voire par la tenancière. »

Le prince est assis bien droit dans son fauteuil, ses deux mains sur les accoudoirs, comme sur son portrait à l'huile d'olive vierge qui orne sa résidence de Klérambâr.

Comme je cesse de parler, il m'encourage :

— Et puis ?

Mais voilà qu'il se passe quelque chose d'inattendu dans ma tronche. Et également dans mon cœur. Une sorte d'infinie désabusance, proche de la répulsion. Un instant, mon métier me déprime : que dis-je, il me dégoûte carrément ! Trop de

pipeau, de poudre aux châsses, de faux-sem-
blants, d'hypocrisie enfin.

« — Surtout, contrôlez-vous, m'a recommandé
le ministre. Ne laissez pas transparaître vos sentiments. Ne lâchez rien de ce que vous savez. On
ENTERRE cette histoire ! Vous m'entendez,
« mone cher » (il cause commak). Cet entretien
avec l'Excellence, sera une prise de congé définitive. Dé-fi-ni-ti-ve. Ce micmac oriental n'est pas
de notre ressort. Mieux : nous ne pouvons le
comprendre car il a été conçu et réalisé par des
êtres qui n'ont rien de commun avec nous, qui
pensent et agissent différemment. »

Ça, qu'il m'a dit, le ministre ! A la virgule
près. Tu me crois pas ? Et moi, dans mon for,
conduite intérieure, je pensais : « Et alors, pourquoi m'avez-vous collé sur cette affaire si, en fin
de compte, elle ne nous concernait pas ? » Mais
les secrets d'Etat sont ce qu'ils sont : creux et
provisoires.

— Et puis ? insiste l'excellente Excellence, en
impatience déjà.

Je me retiens de répondre : « Et puis ? Et puis
rien ! Et puis merde ! » car ça l'afficherait mal.

Toujours se contenir dans les histoires diplo-
matiques. Ronger son frein, ranger sa bite pour
pas qu'elle traîne par terre.

— Trop compliqué, soupiré-je, trop oriental
pour un type comme moi, Monseigneur. Je m'y

perds. Toujours est-il que tout est rentré dans l'ordre, n'est-ce pas l'essentiel ?

Il a un sourire léger.

— Vous croyez ? murmure-t-il.

— Oui, Excellence, je crois. Vous connaissez le bonneteau ?

— De quoi s'agit-il ?

— De manipulation. Cela se joue avec trois cartes qu'on fait passer et repasser sous les yeux des spectateurs avant de les poser à plat. Le joueur doit retrouver celle qu'il a choisie ; mais régulièrement il se plante. Il ne peut pas ne pas se planter !

« Dans le cas présent, c'est pareil. Qui est qui ? Où est quoi ? Les amis ne sont pas amis, les complices trahissent, les déplacements n'ont pas de motifs apparents. A la fin tout est à ce point brouillé qu'on renonce à démêler l'écheveau. C'est une remarquable tactique qui demande du sang-froid, beaucoup de fausse innocence, une candeur désarmante, et surtout – oui, surtout – un cynisme forcené. »

Mon vis-à-vis soupire :

— Il n'est pas aisé de diriger un pays comme le mien, n'importe le régime au pouvoir. Il y faut une vigilance de tous les instants, une attention de coureur de formule I. Ce qui est préconisé un jour est à combattre le lendemain. Donc, vous renoncez à démêler l'illusion du réel, le faux du vrai, le bien du mal ?

— Nous avons en France une expression triviale qui est : « Ce ne sont pas nos oignons. »

Le prince se lève.

— Eh bien, elle est pleine de sagesse, monsieur San-Antonio.

Il me tend la main.

— Très heureux de vous avoir rencontré. Je vous ferai tenir dans les meilleurs délais les choses que je vous ai promises.

— Je vous remercie, mais c'est inutile, Excellence.

— Pourquoi ?

— Parce qu'il est illogique d'adresser des souvenirs à qui a pour mission d'oublier !

Il me regarde longuement, gravement, puis opine.

— Je pense que vous êtes un être exceptionnel, assure-t-il.

— Je n'ose démentir un homme aussi considérable que vous, Monseigneur. J'aimerais, cela dit, vous poser une ultime question avant de prendre congé.

— Allez-y.

— Pourquoi cette sinistre aventure a-t-elle eu un bordel pour cadre ?

Il ne répond pas. J'insiste :

— Elle aurait pu se passer n'importe où, non ?

Le diplomate a une moue évasive.

— Mon cher, dans mon pays il est dit que l'homme qui meurt dans un lieu impie ne connaîtra jamais le paradis d'Allah. Son décès est honteux et rejaillit sur le souvenir de sa durée terrestre. Je ne sais pas si vous saisissez la portée de la chose ?

— Très bien, réponds-je, cela signifie que l'homme qui est mort dans cette chambre faite pour le péché est banni du souvenir des vivants ?

— En quelque sorte.

Je lui souris et quitte le boxif sans prendre congé de celles qui en font le charme.

FINISSARIUM

— J'ai jamais reçu des fleurs aussi magnifiques, me fait Linda avec un sourire radieux.

Sa réaction me comble. Je m'attendais à une bolée de vitriol dans mon physique de théâtre, mais je la trouve rayonnante, derrière la caisse de son hôtel.

— Pour essayer de me faire pardonner mon lapin, dis-je. Vraiment, ce sont les circonstances. Figure-toi que…

Elle pose sa douce main en bâillon sur ma bouche.

— Chut, Antoine, ne dis rien. Ton lapin de l'autre jour a changé ma vie.

Elle me raconte que pendant qu'elle poireautait à m'attendre, une voiture a stoppé devant elle. Et qui en descend, je me le donne en mille. Hein, qui donc ? Maximilien ! Non, pas Robespierre : Maximilien Lederdut, un ancien condisciple de l'Ecole hôtelière qui était amoureux d'elle. Si ardemment qu'il ne s'est jamais marié. Ils sont tombés dans les bras l'un de l'autre (ou l'une de l'autre) et ont décidé d'unir leurs destins... Air connu. Musique douce sur chancre mou.

Elle me saute au cou.

— En somme c'est à toi que je dois mon bonheur, car si tu étais venu à l'heure, je n'aurais pas retrouvé Maxi...

Je gratule, effusionne. Vœux de ceci cela. Connasse !

Me casse, tout frileux, tout chemolle : aigre. Ce qu'il y a de chiant avec les gonzesses, c'est que nous ne sommes pas irremplaçables. Sitôt que tu as le dos tourné (ou dix minutes de retard), un autre con se pointe.

Je retrouve Toinet au volant de ma 600 SE.

— Alors, p'pa, elle t'a pas arraché les couilles ?

Illico, je fais le suffisant :

— Manquerait plus que ça, môme. Tu me connais ! C'est pas une gonzesse de mes chères deux qui...

Je n'en dis pas plus. Soudain, j'ai besoin de lui donner une preuve de tendresse, que dis-je : d'amour.

— Tu veux que je te confie un secret, Toinou ?

— Toujours bon à prendre, cher père.

— Non mais : un secret d'Etat ?

— A plus forte raison.

— Le prince, Machin, comment déjà ? Ah oui : Kanular.

— Eh bien ?

— C'est lui qui a été zingué dans le claque de la mère Mina.

Il ouvre des yeux comme des gyrophares.

— Non !!!

— Si. Le gonzier qui règne actuellement n'est autre que son sosie préfabriqué ; à preuve : ses deux grains de beauté, à lui, sont tatoués. On a fait mourir le véritable dans un lieu impie pour couper court à toute chicanerie.

Je lui prends le cou.

— Raison d'Etat, conclus-je. Conserve ce secret, môme, car nous ne sommes que des lampistes, et les lampistes sont faits pour fermer leur gueule.

Il ne démarre pas, l'héritier, terrassé par ce que je viens de lui apprendre. Il a posé son front contre le rembourrage central du volant qui masque l'airbag. Ça se bouscule à l'intérieur de sa tronche, comme à la sortie du Palais des Sports après un spectacle de mon fabuleux Robert Hossein.

— Mais pourquoi a-t-on liquidé le vrai prince ? gémit-il.

— Quand on n'est pas content d'une bonniche, on la renvoie, fais-je. Mais quand on n'est pas satisfait d'un monarque, on le bute. Tout a été longuement préparé. Une fois prête, la « doublure » a été « injectée » dans l'univers de Karim Kanular de manière sporadique, pour qu'elle ait le temps d'apprendre son rôle. Quand elle l'a su « au rasoir », comme disent les comédiens, il ne restait plus qu'à « se séparer » de l'original. Alors on a mitonné ce rendez-vous galant, cette mise en scène savante.

— Et le vrai Karim a marché ?

— Un homme de cul marche au cul. N'importe quelle radasse douée du réchaud pouvait en faire ce qu'elle voulait, c'est l'une des raisons qui ont inspiré son assassinat. Un homme qui suit le premier dargif venu n'est plus capable de se diriger seul.

« Lentement, les gens qui avaient décidé d'effacer ce tocard ont préparé son remplacement par un homme sûr. »

Toinet se redresse. Il caresse le gros cuir allemand de la Mercedes, bien grenu, bien épais.

— T'en sais des choses, divin *father*, jamais personne ne t'arrivera à la cheville.

Un temps. Il se remet les couilles en place. Toujours, les hommes d'action ! Leur problème constant, ce sont leurs aumônières qu'ils grattent et déplacent sans trêve. Les testicules d'un mâle constituent le balancier de sa vie.

— J'ai droit encore à une question, afin de remplir les dernières cases blanches de mon puzzle ?

— Vas-y, je t'esgourde !

— Le garde du corps roux qui gardait le prince chez la mère Pain-de-fesses ? C'est bien le mec que j'ai estourbi au cimetière parce qu'il allait te praliner ?

— Naturellement, petit d'homme.

— Qu'est-ce qu'il manigançait ?

— Bravo pour le verbe, gars : il « manigançait » en effet. Un faux jeton qui a voulu baliser son avenir.

— Affranchis-moi, et ensuite je te paierai un gueuleton dans un *fast-food*.

— Je préfère régler la note et que tu m'emmènes chez Guy Savoy.

— Comme tu voudras, mais raconte !

— Bien sûr, ce mec était au courant de tout et « couvrait » l'opération du claque.

— Et alors ?

— Ayant « surveillé » la mort du vrai prince, il entendait exploiter le secret de son double par la suite. Seulement, pour cela, il lui fallait une preuve.

— Vu ! trépigne mon disciple.

— Vu quoi ?

— Il en existait une : les photos que le visagiste avait prises pendant les différentes phases de l'opération ?

— Bravo, fiston !

— Les membres du complot ont liquidé ce

technicien après son boulot ; seulement ils ont appris ensuite, par l'un de ses proches sans doute, que ce madré chirurgien marron possédait des clichés de son travail.

— Affirmatif ! te répondrait un con sentencieux.

Je passe ma large patte sur sa nuque encore duveteuse d'adolescent pas complètement fini.

Toinet, exalté, reprend, avec le rouge de l'excitance au front :

— Dans un premier temps, il a voulu faire déterrer le corps, mais a reculé devant les formalités compromettantes auxquelles il aurait fallu souscrire. Il a donc organisé l'exhumation privée avec des forbans dont il s'est défait, une fois sa mission réussie.

— Eh ben voilà, tu sais tout, mon Antoine. Et tu sauras toujours tout parce que tu appliques d'instinct ma méthode.

— Quelle méthode ?

— Ce que nous ignorons, nous l'inventons, mon grand, et ça marche car l'imagination est le plus précieux auxiliaire de la vérité.

Heureux, il démarre.

Je prends une position relaxe à la place passager de ma guinde. On va se cogner un chouette bâfrement, tous les deux, et on éclusera de l'Hermitage rouge, le vin préféré de papa.

Tout à coup il pile, se faisant incendier par un moudu qui nous filochait de trop près.

— Mais dis donc, j'y pense, p'pa : et les photos trouvées dans la guitare chromée du chirurgien esthétique, que sont-elles devenues ?

Je souris. Je suis bien, allongé sur mon siège renversé, les mains nouées sur ma bitounette, les yeux clos. Heu-reux !

— Je les ai remises au ministre, fais-je dans un bâillement. Il va sûrement les conserver dans cet endroit mystérieux où nos dirigeants rangent les trucs pas frais. Des fois que le faux Kanular ferait le con un jour…

FIN

Un guide de lecture inédit élaboré
par Raymond Milési

REMONTEZ LE FLEUVE AVEC LE COMMISSAIRE SAN-ANTONIO

La première aventure du commissaire San-Antonio est parue en 1949. Peu à peu, ce personnage au punch et à la sincérité extraordinaires a pris dans le cœur des lecteurs de tous âges une place si importante qu'on peut parler à son sujet de véritable *phénomène*. Qu'il s'agisse de son exceptionnel succès dans l'édition ou de l'enthousiasme qu'il provoque, on est en droit de le situer — et de loin — au premier rang des « héros littéraires » de notre pays.

1. Bibliographie des aventures de San-Antonio

A) La série

Jusqu'en 2002, la série était disponible dans une collection appelée « *San-Antonio* », abrégée en « **S-A** », **avec une numérotation qui ne tenait pas compte – pour une bonne partie – de l'ordre originel des parutions.**

La collection garde le même nom mais, à partir de 2003, **sa numérotation va respecter l'ordre chronologique.**

Dès lors, la bibliographie ci-après se consulte de la façon suivante :

- En tête apparaît le numéro « chronologique », celui qui figure sur chaque roman réimprimé *à partir de 2003*.
- Après le titre vient, entre parenthèses, la date de première publication.
- Puis est indiquée la collection d'origine (Spécial Police de 1950 à 1972 et **S-A avec l'ancienne numérotation** : reprises et originaux de 1973 à 2002).
- O.C. signale que le titre a été réédité dans les Œuvres Complètes, le numéro du tome étant précisé en chiffres romains.

■■■■■■■■■■■■■

1. **RÉGLEZ-LUI SON COMPTE** (1949)
    (S-A 107) – O.C. XXIV

2. **LAISSEZ TOMBER LA FILLE** (1950)
    Spécial-Police 11 – **(S-A 43)** – O.C. III

3. **LES SOURIS ONT LA PEAU TENDRE** (1951)
    Spécial-Police 19 – **(S-A 44)** – O.C. II

4. **MES HOMMAGES À LA DONZELLE** (1952)
    Spécial-Police 30 – **(S-A 45)** – O.C. X

5. **DU PLOMB DANS LES TRIPES** (1953)
    Spécial-Police 35 – **(S-A 47)** – O.C. XII

6. **DES DRAGÉES SANS BAPTÊME** (1953)
    Spécial-Police 38 – **(S-A 48)** – O.C. IV

7. **DES CLIENTES POUR LA MORGUE** (1953)
    Spécial-Police 40 – **(S-A 49)** – O.C. VI

23. **AU SUIVANT DE CES MESSIEURS** (1957)
Spécial-Police 111 – **(S-A 65)** – O.C. IX

24. **DES GUEULES D'ENTERREMENT** (1957)
Spécial-Police 117 – **(S-A 66)** – O.C. IX

25. **LES ANGES SE FONT PLUMER** (1957)
Spécial-Police 123 – **(S-A 67)** – O.C. XII

26. **LA TOMBOLA DES VOYOUS** (1957)
Spécial-Police 129 – **(S-A 68)** – O.C. IV

27. **J'AI PEUR DES MOUCHES** (1957)
Spécial-Police 141 – **(S-A 70)** – O.C. I

28. **LE SECRET DE POLICHINELLE** (1958)
Spécial-Police 145 – **(S-A 71)** – O.C. III

29. **DU POULET AU MENU** (1958)
Spécial-Police 151 – **(S-A 72)** – O.C. V

30. **TU VAS TRINQUER, SAN-ANTONIO** (1958)
Spécial-Police 157 – **(S-A 40)** – O.C. V
(tout en pouvant se lire séparément, ces deux derniers romans
constituent une même histoire en deux parties)

31. **EN LONG, EN LARGE ET EN TRAVERS** (1958)
Spécial-Police 163 – **(S-A 7)** – O.C. XIII

32. **LA VÉRITÉ EN SALADE** (1958)
Spécial-Police 173 – **(S-A 8)** – O.C. VI

33. **PRENEZ-EN DE LA GRAINE** (1959)
Spécial-Police 179 – **(S-A 73)** – O.C. II

34. **ON T'ENVERRA DU MONDE** (1959)
Spécial-Police 188 – **(S-A 74)** – O.C. VII

35. **SAN-ANTONIO MET LE PAQUET** (1959)
Spécial-Police 194 – **(S-A 76)** – O.C. IX

36. **ENTRE LA VIE ET LA MORGUE** (1959)
Spécial-Police 201 – **(S-A 77)** – O.C. IX

52. **SAN-ANTONIO POLKA** (1963)
Spécial-Police 333 – **(S-A 19)** – O.C. V

53. **EN PEIGNANT LA GIRAFE** (1963)
Spécial-Police 343 – **(S-A 14)** – O.C. II

54. **LE COUP DU PÈRE FRANÇOIS** (1963)
Spécial-Police 358 – **(S-A 21)** – O.C. XI

55. **LE GALA DES EMPLUMÉS** (1963)
Spécial-Police 385 – **(S-A 41)** – O.C. V

56. **VOTEZ BÉRURIER** (1964)
Spécial-Police 391 – **(S-A 22)** – O.C. I

57. **BÉRURIER AU SÉRAIL** (1964)
Spécial-Police 427 – **(S-A 87)** – O.C. III

58. **LA RATE AU COURT-BOUILLON** (1965)
Spécial-Police 443 – **(S-A 88)** – O.C. I

59. **VAS-Y BÉRU** (1965)
Spécial-Police 485 – **(S-A 23)** – O.C. VIII

60. **TANGO CHINETOQUE** (1966)
Spécial-Police 511 – **(S-A 24)** – O.C. VI

61. **SALUT, MON POPE !** (1966)
Spécial-Police 523 – **(S-A 25)** – O.C. X

62. **MANGE, ET TAIS-TOI !** (1966)
Spécial-Police 565 – **(S-A 27)** – O.C. XII

63. **FAUT ÊTRE LOGIQUE** (1967)
Spécial-Police 577 – **(S-A 28)** – O.C. X

64. **Y'A DE L'ACTION !** (1967)
Spécial-Police 589 – **(S-A 29)** – O.C. XIII

65. **BÉRU CONTRE SAN-ANTONIO** (1967)
Spécial-Police 613 – **(S-A 31)** – O.C. XII

66. **L'ARCHIPEL DES MALOTRUS** (1967)
Spécial-Police 631 – **(S-A 32)** – O.C. XI

→   À partir du 108e roman ci-dessous, la numérotation affichée
auparavant sur les ouvrages de la collection *« San-Antonio »*
correspond à l'ordre chronologique. Le numéro actuel et le
précédent sont donc identiques. Mais, pour éviter toute équi-
voque, nous continuons tout de même à les mentionner l'un et
l'autre jusqu'au bout.

167. **DE L'ANTIGEL DANS LE CALBUTE** (1996)
(S-A 167)

168. **LA QUEUE EN TROMPETTE** (1997)
(S-A 168)

169. **GRIMPE-LA EN DANSEUSE** (1997)
(S-A 169)

170. **NE SOLDEZ PAS GRAND-MÈRE, ELLE BROSSE
ENCORE** (1997)
(S-A 170)

171. **DU SABLE DANS LA VASELINE** (1998)
(S-A 171)

172. **CECI EST BIEN UNE PIPE** (1999)
(S-A 172)

173. **TREMPE TON PAIN DANS LA SOUPE** (1999)
(S-A 173)

174. **LÂCHE-LE, IL TIENDRA TOUT SEUL** (1999)
(S-A 174)
(ces deux derniers romans sont à lire à la suite car ils constituent une seule histoire répartie en deux tomes)

175. **CÉRÉALES KILLER** (2001) – parution posthume
(original non numéroté : v. ci-dessous)

B) Les Hors-Collection

Neuf romans, de format plus imposant que ceux de
la « série », sont parus depuis 1964. Tous les originaux
aux éditions FLEUVE NOIR, forts volumes cartonnés jusqu'en 1971, puis brochés. Ces ouvrages sont de véri-
tables feux d'artifice allumés par la verve de leur auteur.
L'humour atteint souvent ici son paroxysme. Bérurier y

tient une place « énorme », au point d'en être parfois la vedette !

Remarque importante : outre ces neuf volumes, de nombreux autres « Hors-Collection » – originaux ou rééditions de *Frédéric Dard* – signés **San-Antonio** ont été publiés depuis 1979. Ces livres remarquables, souvent bouleversants *(Faut-il tuer les petits garçons qui ont les mains sur les hanches ?, La vieille qui marchait dans la mer, Le dragon de Cracovie...)* ne concernent pas notre policier de choc et de charme. Sont mentionnés dans les « Hors-Collection » ci-dessous uniquement les romans dans lesquels figure le *Commissaire San-Antonio !*

- **L'HISTOIRE DE FRANCE VUE PAR SAN-ANTONIO**, 1964 – réédité en 1997 sous le titre **HISTOIRE DE FRANCE**

- **LE STANDINGE SELON BÉRURIER**, 1965 – réédité en 1999 sous le titre **LE STANDINGE**

- **BÉRU ET CES DAMES**, 1967 – réédité en 2000

- **LES VACANCES DE BÉRURIER**, 1969 – réédité en 2001

- **BÉRU-BÉRU**, 1970 – réédité en 2002

- **LA SEXUALITÉ**, 1971 – réédité en 2003

- **LES CON**, 1973

- **SI QUEUE-D'ÂNE M'ÉTAIT CONTÉ**, 1976 (aventure entièrement vécue et racontée par Bérurier) – réédité en 1998 sous le titre *QUEUE D'ÂNE*

- **NAPOLÉON POMMIER**, 2000

→ Paru en 2001 dans un format « moyen » non numéroté, **CÉRÉALES KILLER** est bien le 175e roman de la série *San-Antonio*. Réédité en poche en 2003.

2. Guide thématique de la série « San-Antonio »

Les aventures de San-Antonio sont d'une telle richesse que toute tentative pour les classifier ne prêterait – au mieux – qu'à sourire si l'on devait s'en tenir là. Une mise en schéma d'une telle œuvre n'a d'intérêt que comme jalon, à dépasser d'urgence pour aller voir « sur place ». Comment rendre compte d'une explosion permanente ? Ce petit guide thématique n'est donc qu'une « approche », partielle, réductrice, observation d'une constellation par le tout petit bout de la lorgnette. San-Antonio, on ne peut le connaître qu'en le lisant, tout entier, en allant se regarder soi-même dans le miroir que nous tend cet auteur de génie, le cœur et les yeux grands ouverts.

Dans les 175 romans numérotés parus au Fleuve Noir, on peut dénombrer, en simplifiant à l'extrême, 10 types de récits différents. Bien entendu, les sujets annexes abondent ! C'est pourquoi seul a été relevé ce qu'on peut estimer comme le thème « principal » de chaque livre.

Le procédé vaut ce qu'il vaut, n'oublions pas que « simplifier c'est fausser ». Mais il permet – en gros, en très gros ! – de savoir de quoi parlent les *San-Antonio*, sur le plan « polar ». J'insiste : gardons à l'esprit que là n'est pas le plus important. *Le plus important, c'est ce qui se passe entre le lecteur et l'auteur, et qu'on ne pourra jamais classer dans telle ou telle catégorie.*

Avertissement

Comme il serait beaucoup trop long de reprendre tous les titres, seuls leurs *numéros* sont indiqués sous chaque rubrique. ATTENTION : ce sont les numéros de la collection « *San-Antonio* » référencée **S-A** dans la bibliographie ! En effet, les ouvrages de cette collection sont et seront encore disponibles pendant longtemps.

Néanmoins, ces numéros sont chaque fois rangés dans l'ordre chronologique des parutions, du plus ancien roman au plus récent.

A. Aventures de Guerre, ou faisant suite à la Guerre.

Pendant le conflit 39-45, San-Antonio est l'as des *Services Secrets.* Résistance, sabotages, chasse aux espions avec actions d'éclat. On plonge ici dans la « guerre secrète ».

→ S-A **107** (reprise du tout premier roman de 1949) • S-A **43** • S-A **44** • S-A **47**

Dans les années d'après-guerre, le commissaire poursuit un temps son activité au parfum de contre-espionnage (espions à identifier, anciens collabos, règlements de comptes, criminels de guerre, trésors de guerre). Ce thème connaît certains prolongements, bien des années plus tard.

→ S-A **45** • S-A **50** • S-A **63** • S-A **68** • S-A **78**

B. Lutte acharnée contre anciens (ou néo-)nazis

La Guerre n'est plus du tout le « motif » de ces aventures, même si l'enquête oppose en général San-

Antonio à d'anciens nazis, avec un fréquent *mystère à
élucider.* C'est pourquoi il était plus clair d'ouvrir une
nouvelle rubrique. Les ennemis ont changé d'identité
et refont surface, animés de noires intentions ; à moins
qu'il s'agisse de néo-nazis, tout aussi malfaisants.

→ S-A **54** • S-A **58** • S-A **59** • S-A **38** • S-A **92** •
S-A **93** • S-A **42** • S-A **123** • S-A **151**

C. San-Antonio opposé à de dangereux trafiquants

Le plus souvent en mission à l'étranger, San-
Antonio risque sa vie pour venir à bout d'individus ou
réseaux qui s'enrichissent dans le trafic de la drogue,
des armes, des diamants… Les aventures démarrent
pour une autre raison puis le trafic est découvert et
San-Antonio se lance dans la bagarre.

→ S-A **3** • S-A **65** • S-A **67** • S-A **18** • S-A **14** • S-A
110 • S-A **159**

D. San-Antonio contre Sociétés Secrètes : un homme traqué !

De puissantes organisations ne reculent devant rien
pour conquérir pouvoir et richesse : *Mafia* (affrontée
par ailleurs de manière « secondaire ») ou *sociétés
secrètes* asiatiques. Elles feront de notre héros un
homme traqué, seul contre tous. Il ne s'en sortira qu'en
déployant des trésors d'ingéniosité et de courage.

→ S-A **51** • S-A **138** • S-A **144** • S-A **160** • S-A
170 • S-A **171** • S-A **172** • S-A **173**

Certains réseaux internationaux visent moins le profit que le chaos universel. San-Antonio doit alors défier lors d'aventures échevelées des groupes *terroristes* qui cherchent à dominer le monde. Frissons garantis !

→ S-A **34** • S-A **85** • S-A **103** • S-A **108**

E. Aventures *personnelles :* épreuves physiques et morales

Meurtri dans sa chair et ses sentiments, San-Antonio doit *s'arracher à des pièges mortels.* Sa « personne » – sa famille, ses amis – est ici directement visée par des individus pervers et obstinés. Jeté aux enfers, il remonte la pente et nous partageons ses tourments. C'est sans doute la raison pour laquelle plusieurs de ces romans prennent rang de *chefs-d'œuvre.* Bien souvent, le lecteur en sort laminé par les émotions éprouvées, ayant tout vécu de l'intérieur !

→ S-A **61** • S-A **70** • S-A **86** • S-A **27** • S-A **97** • S-A **36** • S-A **111** • S-A **122** • S-A **131** • S-A **132** • S-A **139** • S-A **140** • S-A **174** • **175**

F. À la poursuite de voleurs ou de meurtriers

Pour autant, on peut rarement parler de polars « classiques ». Ce sont clairement des *enquêtes,* mais à la manière (forte) de San-Antonio !

• Enquêtes « centrées » sur le vol ou l'escroquerie

Les meurtres n'y manquent pas, mais l'affaire tourne toujours autour d'un vol (parfois chantage, ou fausse monnaie…). Peu à peu, l'étau se resserre autour des malfaiteurs, que San-Antonio, aux méthodes « risquées », finit par ramener dans ses filets grâce à son cerveau, ses poings et ses adjoints.

→ S-A **2** • S-A **62** • S-A **73** • S-A **80** • S-A **10** • S-A **25** • S-A **90** • S-A **113** • S-A **149**

• **Enquêtes « centrées » sur le meurtre**
À l'inverse, ces aventures ont le meurtre pour fil conducteur. San-Antonio doit démêler l'écheveau et mettre la main sur le coupable, en échappant bien des fois à la mort. Vol et chantage sont encore d'actualité, mais au second plan.

→ S-A **55** • S-A **8** • S-A **76** • S-A **9** • S-A **5** • S-A **81** • S-A **83** • S-A **84** • S-A **41** • S-A **22** • S-A **23** • S-A **28** • S-A **35** • S-A **94** • S-A **17** • S-A **26** • S-A **60** • S-A **100** • S-A **116** • S-A **127** • S-A **128** • S-A **129** • S-A **133** • S-A **135** • S-A **137** • S-A **143** • S-A **145** • S-A **152** • S-A **161** • S-A **163**

• (Variante) **Vols ou meurtres** *dans le cadre d'une même famille*
→ S-A **4** • S-A **7** • S-A **74** • S-A **46** • S-A **91** • S-A **114** • S-A **141** • S-A **148** • S-A **154** • S-A **165**

G. Affaires d'enlèvements
Double but à cette *poursuite impitoyable* : retrouver les ravisseurs et préserver les victimes !

→ S-A **56** (porté à l'écran sous le titre *Sale temps pour les mouches*) • S-A **16** • S-A **13** • S-A **19** • S-A **39** • S-A **52** • S-A **118** • S-A **125** • S-A **126** • S-A **136** • S-A **158**

H. Attentats ou complots contre hauts personnages

Chaque récit tourne autour d'un attentat – visant souvent la sécurité d'un état – que San-Antonio doit à tout prix empêcher, à moins qu'il n'ait pour mission de… l'organiser au service de la France !

→ • S-A **48** • S-A **77** • S-A **11** • S-A **21** • S-A **88** • S-A **96** • S-A **33** • S-A **95** • S-A **98** • S-A **102** • S-A **106** • S-A **109** • S-A **120** • S-A **124** • S-A **130**

I. Une aiguille dans une botte de foin !

À partir d'indices minuscules, San-Antonio doit *mettre la main sur un individu, une invention, un document* d'un intérêt capital. Chien de chasse infatigable, héroïque, il ira parfois au bout du monde pour dénicher sa proie.

→ S-A **49** • S-A **53** • S-A **57** • S-A **66** • S-A **71** • S-A **72** • S-A **40** • S-A **15** • S-A **12** • S-A **87** • S-A **24** • S-A **29** • S-A **31** • S-A **37** • S-A **89** • S-A **20** • S-A **30** • S-A **69** • S-A **75** • S-A **79** • S-A **82** • S-A **101** • S-A **104** • S-A **105** • S-A **112** • S-A **115** • S-A **117** • S-A **119** • S-A **121** • S-A **134** • S-A **142** • S-A **146** • S-A **147** • S-A **150** • S-A **153** • S-A **156** • S-A **157** • S-A **164** • S-A **166** • S-A **167**

J. Aventures aux thèmes entremêlés

Quelques récits n'ont pris place – en priorité du moins – dans aucune des rubriques précédentes. Pour ceux-là, le choix aurait été artificiel car aucun des motifs ne se détache du lot : ils s'ajoutent ou s'insèrent l'un dans l'autre. La caractéristique est donc ici *l'accumulation des thèmes*.

→ S-A **32** • S-A **99** • S-A **1** • S-A **6** • S-A **64** • S-A **155** • S-A **162** • S-A **168** • S-A **169**

SANS OUBLIER...

Voilà donc répartis en thèmes simplistes *tous* les ouvrages de la série. Mais les préférences de chacun sont multiples. Plus d'un lecteur choisira de s'embarquer dans un « San-Antonio » pour des raisons fort éloignées de la thématique du polar. Encore heureux ! On dépassera alors le point de vue du spécialiste, pour ranger de nombreux titres sous des bannières différentes. Avec un regard de plus en plus coloré par l'affection.

Note

Contrairement à ce qui précède, certains numéros vont apparaître ici à plusieurs reprises. C'est normal : on peut tout à la fois éclater de rire, pleurer, s'émerveiller, frissonner, s'émouvoir... dans un même *San-Antonio !*

• *Incursions soudaines dans le fantastique*

Au cours de certaines affaires, on bascule tout à coup dans une ambiance mystérieuse, avec irruption du « fantastique ». San-Antonio se heurte à des faits *étranges :* sorcellerie, paranormal, envoûtement…

→ S-A **28** • S-A **20** • S-A **129** • S-A **135** • S-A **139** • S-A **140** • S-A **152** • S-A **172** • S-A **174**

• *Inventions redoutables et matériaux extraordinaires*

Dans plusieurs romans, le recours à un attirail futuriste entraîne une irruption soudaine de la *science-fiction*. Il arrive même qu'il serve de motif au récit. Voici un échantillon de ces découvertes fabuleuses pour lesquelles on s'entretue :

Objectif fractal (un grain de beauté photographié par satellite !), réduction d'un homme à 25 cm, armée tenue en réserve par cryogénisation, échangeur de personnalité, modificateur de climats, neutraliseur de volonté, lunettes de télépathie, forteresse scientifique édifiée sous la Méditerranée, fragment d'une météorite transformant la matière en glace, appareil à ôter la mémoire, microprocesseur réactivant des cerveaux morts, et j'en passe… !

→ S-A **57** • S-A **12** • S-A **41** • S-A **23** • S-A **34** • S-A **35** • S-A **37** • S-A **89** • S-A **17** • S-A **20** • S-A **30** • S-A **64** • S-A **69** • S-A **75** • S-A **105** • S-A **123** • S-A **129** • S-A **146**

• *Savants fous et terrifiantes expériences humaines*
→ S-A **30** • S-A **52** • S-A **116** • S-A **127** • S-A **163**

- **Romans « charnière »**

Sont ainsi désignés les romans où apparaît pour la première fois un nouveau personnage, qui prend définitivement place aux côtés de San-Antonio.

S-A **43** : Félicie (sa mère), *en 1950*.

S-A **45** : Le Vieux (Achille), *en 1952*.

S-A **49** : Bérurier, *en 1953*.

S-A **53** : Pinaud, *en 1954*.

S-A **66** : Berthe (première apparition physique), *en 1957*.

S-A **37** : Marie-Marie, *en 1968*.

S-A **94** : Toinet (ou Antoine, le fils adoptif de San-Antonio), *en 1971*.

S-A **128** : Jérémie Blanc, *en 1986*.

S-A **168** : Salami, en *1997*.

S-A **173** : Antoinette (fille de San-Antonio et Marie-Marie), en *1999*.

Mathias, le technicien rouquin, est apparu peu à peu, sous d'autres noms.

- **Bérurier et Pinaud superstars !**

Le Gros, l'Inénarrable, Béru ! est sans conteste le plus brillant « second » du commissaire San-Antonio. Présent dans la majorité des romans, il y déploie souvent une activité débordante. Sans se hisser au même niveau, le doux et subtil Pinaud tient aussi une place de choix…

- *participation* importante *de Bérurier*

→ S-A **18** • S-A **10** • S-A **11** • S-A **14** • S-A **22** • S-A **88** • S-A **23** • S-A **24** • S-A **27** • S-A **28** • S-A **32** • S-A **34** • S-A **37** • S-A **89** • S-A **90** • S-A **93** • S-A

97 • S-A **1** • S-A **20** • S-A **30** • S-A **33** • S-A **46** • S-A **52** • S-A **75** • S-A **101** • S-A **104** • S-A **109** • S-A **116** • S-A **126** • S-A **145** • S-A **163** • S-A **166**

N'oublions pas les « Hors-Collection », avec notamment *Queue d'âne* où Bérurier est seul présent de bout en bout !

• *participation* importante *de Bérurier* et *Pinaud*
→ S-A **12** • S-A **87** • S-A **25** • S-A **35** • S-A **96** • S-A **105** • S-A **111** • S-A **148** (fait exceptionnel : San-Antonio ne figure pas dans ce roman !) • S-A **156**

● *Marie-Marie, de l'enfant espiègle à la femme mûre*
Dès son apparition, Marie-Marie a conquis les lecteurs. La fillette malicieuse, la « Musaraigne » éblouissante de *Viva Bertaga* qui devient femme au fil des romans est intervenue dans plusieurs aventures de San-Antonio.

• *Fillette espiègle et débrouillarde :*
→ S-A **37** • S-A **38** • S-A **39** • S-A **92** • S-A **99**

• *Adolescente indépendante et pleine de charme :*
→ S-A **60** • S-A **69** • S-A **85**

• *Belle jeune femme, intelligente et profonde :*
Il ne s'agit parfois que d'apparitions intermittentes.
→ S-A **103** • S-A **111** • S-A **119** • S-A **120** • S-A **131** (où Marie-Marie devient veuve !) • S-A **139** • S-A **140** • S-A **152**

• *Femme mûre, mère d'Antoinette (fille de San-Antonio) :*
→ S-A **173** • S-A **174** • 175

- *Le rire*

Passé la première trentaine de romans (et encore !), le *rire* a sa place dans toutes les aventures de San-Antonio, si l'humour, lui, est *partout,* y compris au cœur de la colère, de l'amour et de la dérision. Mais plusieurs aventures atteignent au délire et nous transportent vraiment d'hilarité par endroits. Dans cette catégorie décapante, on conseillera vivement :

→ S-A **10** • S-A **14** • S-A **87** • S-A **88** • S-A **23** • S-A **25** • S-A **2** • S-A **35**

Y ajouter, là encore, tous les « Hors-Collection ». Qui n'a pas lu *Le Standinge, Béru-Béru* ou *Les vacances de Bérurier* n'a pas encore exploité son capital rire. Des romans souverains contre la morosité, qui devraient être remboursés par la Sécurité Sociale !

- *Grandes épopées planétaires*

San-Antonio – le plus souvent accompagné de Bérurier – nous entraîne aux quatre coins de la planète dans des aventures épiques et « colossales ». Humour, périls mortels, action, rebondissements.

→ S-A **10** • S-A **87** • S-A **88** • S-A **24** • S-A **37** • S-A **89**

- *Les « inoubliables »*

Je rangerais sous ce titre quelques romans-choc (dont certains ont déjà été cités plusieurs fois, notamment dans les épopées ci-dessus). On tient là des *chefs-d'œuvre,* où l'émotion du lecteur est à son comble. Bien sûr, c'est subjectif, mais quel autre critère adopter pour ce qui relève du coup de cœur ? Lisez-les : vous serez vite convaincus !

→ S-A **61** • S-A **70** • S-A **83** • S-A **10** • S-A **87** • S-A **88** • S-A **24** • S-A **25** • S-A **37** • S-A **111** • S-A **132** • S-A **140**

POUR FINIR...

Il ne me reste plus qu'à souhaiter à tous ceux qui découvrent les aventures de San-Antonio (comme je les envie !) des voyages colorés, passionnants, émouvants, trépidants, surprenants, pathétiques, burlesques, magiques, étranges, inattendus ; des séjours enfiévrés ; des rencontres mémorables ; des confidences où l'intime se mêle à l'épopée.

Quant aux autres, ils savent déjà tout ça, n'est-ce pas ?

Ce qui ne les empêche pas de revisiter à tout instant la série *San-Antonio,* monument de la littérature d'évasion, pour toujours inscrit à notre patrimoine.

Raymond Milési

Correspondance entre l'ancienne numérotation de la collection « San-Antonio » et la nouvelle numérotation chronologique *portée sur chaque roman réimprimé à partir de 2003.*

S-A	→	*chrono*

S-A	→	chrono		S-A	→	chrono
S-A 1	→	80		S-A 29	→	64
S-A 2	→	9		S-A 30	→	85
S-A 3	→	10		S-A 31	→	65
S-A 4	→	11		S-A 32	→	66
S-A 5	→	38		S-A 33	→	86
S-A 6	→	81		S-A 34	→	67
S-A 7	→	31		S-A 35	→	68
S-A 8	→	32		S-A 36	→	87
S-A 9	→	37		S-A 37	→	69
S-A 10	→	48		S-A 38	→	70
S-A 11	→	49		S-A 39	→	71
S-A 12	→	50		S-A 40	→	30
S-A 13	→	51		S-A 41	→	55
S-A 14	→	53		S-A 42	→	88
S-A 15	→	39		S-A 43	→	2
S-A 16	→	40		S-A 44	→	3
S-A 17	→	82		S-A 45	→	4
S-A 18	→	47		S-A 46	→	89
S-A 19	→	52		S-A 47	→	5
S-A 20	→	83		S-A 48	→	6
S-A 21	→	54		S-A 49	→	7
S-A 22	→	56		S-A 50	→	8
S-A 23	→	59		S-A 51	→	12
S-A 24	→	60		S-A 52	→	90
S-A 25	→	61		S-A 53	→	13
S-A 26	→	84		S-A 54	→	14
S-A 27	→	62		S-A 55	→	15
S-A 28	→	63		S-A 56	→	16

S-A 57	→	17	S-A 83	→	44
S-A 58	→	18	S-A 84	→	45
S-A 59	→	19	S-A 85	→	97
S-A 60	→	91	S-A 86	→	46
S-A 61	→	20	S-A 87	→	57
S-A 62	→	21	S-A 88	→	58
S-A 63	→	22	S-A 89	→	72
S-A 64	→	92	S-A 90	→	73
S-A 65	→	23	S-A 91	→	98
S-A 66	→	24	S-A 92	→	74
S-A 67	→	25	S-A 93	→	75
S-A 68	→	26	S-A 94	→	76
S-A 69	→	93	S-A 95	→	99
S-A 70	→	27	S-A 96	→	77
S-A 71	→	28	S-A 97	→	78
S-A 72	→	29	S-A 98	→	100
S-A 73	→	33	S-A 99	→	79
S-A 74	→	34	S-A 100	→	101
S-A 75	→	94	S-A 101	→	102
S-A 76	→	35	S-A 102	→	103
S-A 77	→	36	S-A 103	→	104
S-A 78	→	41	S-A 104	→	105
S-A 79	→	95	S-A 105	→	106
S-A 80	→	42	S-A 106	→	107
S-A 81	→	43	S-A 107	→	1
S-A 82	→	96			

À partir du n° **108**, les numéros de la collection « **S-A** » coïncident exactement avec les numéros *chronologiques*.

R. Milési

Achevé d'imprimer sur les presses de

BUSSIÈRE

GROUPE CPI

à Saint-Amand-Montrond (Cher)
en novembre 2003

FLEUVE NOIR
12, avenue d'Italie
75627 Paris Cedex 13
Tél. : 01-44-16-05-00

— N° d'imp. : 37089. —
Dépôt légal : décembre 2003.

Imprimé en France